A
ÚNICA
COISA

GARY KELLER
E JAY PAPASAN

A ÚNICA COISA

A VERDADE SURPREENDENTEMENTE SIMPLES POR TRÁS DE RESULTADOS EXTRAORDINÁRIOS

Título original: *The One Thing*

Copyright © 2012 Rellek Publishing Partners, Ltd.
Copyright da tradução © 2021 por GMT Editores Ltda.

Todos os direitos reservados. Nenhuma parte deste livro pode ser utilizada ou reproduzida sob quaisquer meios existentes sem autorização por escrito dos editores.

TRADUÇÃO: Alves Calado
PREPARO DE ORIGINAIS: Sheila Louzada
REVISÃO: BR75 | Clarisse Cintra e Luis Américo Costa
PROJETO GRÁFICO E ILUSTRAÇÕES: Caitlin McIntosh
ADAPTAÇÃO DE PROJETO E DIAGRAMAÇÃO: DTPhoenix Editorial
CAPA: Filipa Pinto
IMPRESSÃO E ACABAMENTO: Associação Religiosa Imprensa da Fé

CIP-BRASIL. CATALOGAÇÃO NA PUBLICAÇÃO
SINDICATO NACIONAL DOS EDITORES DE LIVROS, RJ

K38u Keller, Gary
A única coisa / Gary Keller, Jay Papasan; tradução Alves Calado. – 1. ed. – Rio de Janeiro: Sextante, 2021.
240 p. ; 21 cm.

Tradução de: The one thing
ISBN 978-65-5564-123-3

1. Sucesso. 2. Sucesso nos negócios. I. Papasan, Jay. II. Calado, Alves. III. Título.

CDD: 650.1
20-67585
CDU: 005.336

Meri Gleice Rodrigues de Souza – Bibliotecária - CRB-7/6439

Todos os direitos reservados, no Brasil, por
GMT Editores Ltda.
Rua Voluntários da Pátria, 45 – 14º andar – Botafogo
22270-000 – Rio de Janeiro – RJ
Tel.: (21) 2538-4100
E-mail: atendimento@sextante.com.br
www.sextante.com.br

SE VOCÊ PERSEGUIR DOIS COELHOS...

... NÃO VAI PEGAR **NENHUM**.

PROVÉRBIO RUSSO

SUMÁRIO

1. A Única Coisa 10
2. O efeito dominó 16
3. O sucesso deixa pistas 22

PARTE 1

AS MENTIRAS
ELAS INDUZEM AO ERRO E DESVIAM DO CAMINHO 33

4. Tudo tem importância igual 38
5. A ideia de ser multitarefas 49
6. A vida disciplinada 61
7. A força de vontade infinita 68
8. O equilíbrio como ideal 80
9. Pensar grande é ruim 93

PARTE 2

A VERDADE
O CAMINHO SIMPLES PARA
A PRODUTIVIDADE 105

10. A Pergunta de Foco 110
11. O hábito do sucesso 120
12. O caminho para boas respostas 127

PARTE 3

RESULTADOS EXTRAORDINÁRIOS
EXPLORANDO AS POSSIBILIDADES
QUE HÁ DENTRO DE VOCÊ 139

13. Viver com propósito 143
14. Viva de acordo com a prioridade 154
15. Viver para a produtividade 164
16. Os três compromissos 184
17. Os quatro ladrões 200
18. A jornada 218

Colocando em prática 228
Sobre a pesquisa 234
Agradecimentos 236

1 A ÚNICA COISA

> "Seja como um selo de correio: fique grudado em uma única coisa até chegar ao seu destino."
>
> — Josh Billings

Em 7 de junho de 1991 a Terra tremeu durante 112 minutos. Não de verdade, mas a sensação que tive foi essa.

Eu estava assistindo à comédia de sucesso *Amigos, sempre amigos* e as gargalhadas da plateia faziam o cinema vibrar. Além de ser considerado um dos filmes mais engraçados de todos os tempos, ele também salpicava inesperadas doses de sabedoria e discernimento. Numa cena memorável, Curly, o caubói durão representado pelo falecido Jack Palance, e o vigarista da cidade, Mitch, representado por Billy Crystal, se afastam do grupo para procurar algumas cabeças de gado desgarradas. Apesar de passarem a maior parte do filme se estranhando, ao cavalgarem juntos eles finalmente conseguem se conectar, conversando sobre a vida. De repente, Curly faz seu cavalo parar e se vira na sela para Mitch.

Curly: Sabe qual é o segredo da vida?
Mitch: Não. Qual é?
Curly: Isso. [Ele levanta o dedo.]
Mitch: O seu dedo?
Curly: Uma coisa. Uma única coisa. Se você se agarrar a isso, todo o resto não significa porcaria nenhuma.
Mitch: Fantástico, mas qual seria essa "única coisa"?
Curly: É isso que você precisa descobrir.

Da boca de um personagem fictício chega aos nossos ouvidos o segredo do sucesso. Pouco importa se os roteiristas sabiam disso ou não – o que eles escreveram é a verdade absoluta. A Única Coisa é o melhor caminho para você alcançar o que quer.

Na realidade, só fui perceber isso muito tempo depois de ver o filme. Eu já havia tido sucesso no passado, mas só quando cheguei a um beco sem saída foi que comecei a associar meus resultados à minha atitude. Em menos de uma década tinha construído uma empresa bem-sucedida com ambições internacionais, mas de repente as coisas não estavam mais funcionando. Apesar de muita dedicação e muito trabalho, minha vida era uma confusão e tudo parecia estar desmoronando ao meu redor.

Eu estava fracassando.

ALGUMA COISA PRECISAVA MUDAR

Com a corda no pescoço, procurei ajuda. E a encontrei na forma de um coach. Detalhei a ele minha situação e expliquei os desafios que enfrentava, tanto pessoais quanto profissionais. Revisitamos meus objetivos e a trajetória que eu desejava para a minha vida, e então, conhecendo bem as questões, ele partiu em busca das respostas. Sua pesquisa foi meticulosa. No nosso encontro seguinte, ele tinha pregado na parede o organograma da minha organização, isto é, um panorama geral de toda a empresa.

Nossa conversa começou com uma pergunta simples:
– Você sabe do que precisa para reverter a situação?
Eu não fazia a menor ideia.
Ele disse que havia apenas uma coisa que eu precisava fazer. Tinha identificado 14 cargos que precisavam de caras novas e acreditava que, com os indivíduos certos naqueles cargos-chave, eu veria uma mudança radical tanto na empresa quanto no meu trabalho e até na minha vida. Perplexo, falei que seria necessário muito mais do que isso.
Ele disse:
– Não. Jesus precisou de 12, mas você vai precisar de 14.
Foi um momento transformador. Eu jamais havia me dado conta de que tão pouco poderia mudar tantas coisas. Tinha ficado claro que, por mais focado que eu pensasse estar, foco não era suficiente. Encontrar 14 pessoas era, sem dúvida, a coisa mais importante que eu poderia fazer. Assim, tomei uma decisão gigantesca depois daquele encontro: me demiti.

Deixei o cargo de CEO e assumi a estrita missão de encontrar aquelas 14 pessoas.

Dessa vez a Terra tremeu de verdade. Três anos depois, tínhamos entrado em um período de crescimento sustentado que durou quase uma década, a uma média anual de 40%. Deixamos de ser uma empresa regional para nos tornarmos um competidor internacional. O sucesso extraordinário chegou e jamais olhamos para trás.

À medida que o sucesso trazia mais sucesso, outra coisa aconteceu. Surgiu a linguagem da Única Coisa.

Depois de encontrar aquelas 14 pessoas, comecei a trabalhar individualmente com nossos principais colaboradores para incrementar a carreira e o desempenho deles. Por hábito, eu terminava esses encontros de treinamento fazendo uma recapitulação das coisas que eles estavam se comprometendo a realizar para a sessão seguinte. Infelizmente, muitos deles realizavam a maior parte dessas tarefas, mas nem sempre as mais importantes. Os resultados não eram bons e geravam frustração. Assim, para ajudá-los, comecei a reduzir minha lista: "Se você puder fazer só três coisas esta semana...", "Se puder fazer só duas coisas esta semana...". Até que, em desespero, perguntei: *Qual é a Única Coisa que você pode fazer esta semana que é capaz de tornar todo o resto mais fácil ou até desnecessário?* E aconteceu a coisa mais incrível.

Os resultados foram às alturas.

Depois dessa experiência, eu olhei para trás, reavaliei meus sucessos e fracassos e descobri um padrão interessante. Sempre que eu tinha alcançado um grande sucesso, eu havia estreitado meu foco a uma única coisa, e sempre que meu sucesso variava, meu foco também tinha variado.

E fez-se a luz.

REDUZINDO O FOCO

Se todas as pessoas do mundo têm a mesma quantidade de horas disponível por dia, por que algumas parecem fazer muito mais do que outras? Como elas conseguem fazer mais, alcançar mais, ganhar mais, ter mais? Se o tempo é a moeda da realização, por que algumas pessoas conseguem comprar mais fichas do que outras, sendo que a cota é a mesma para todas? A resposta é que elas fazem com que o cerne de sua abordagem seja alcançar o cerne das coisas. Elas reduzem o foco.

Se você quer ter a melhor chance de sucesso em qualquer coisa que deseje, sua estratégia deve ser sempre a mesma: reduzir o foco.

"Reduzir o foco" é ignorar todas as coisas que você *poderia* fazer e fazer o que *precisa*. É reconhecer que nem tudo tem a mesma importância e descobrir quais são as coisas mais importantes. É um modo mais certeiro de conectar suas ações com seus desejos. É perceber que resultados extraordinários são determinados diretamente por até que ponto você consegue estreitar seu foco.

O segredo para obter o máximo do seu trabalho e da sua vida é reduzir o foco o máximo possível. A maioria das pessoas pensa exatamente o contrário. Elas acham que o sucesso consome tempo e é complicado. Acabam ficando com a agenda e a lista de tarefas sobrecarregadas. Por causa disso, o sucesso começa a parecer fora de alcance e elas passam a se contentar com menos. Sem perceber que o grande sucesso chega quando fazemos bem algumas poucas coisas, elas se perdem tentando fazer coisas demais e, no fim das contas, realizam muito pouco. Com o tempo, reduzem as expectativas, abandonam sonhos e permitem que sua vida se apequene. E a vida não deve ser reduzida.

Seu tempo e sua energia são limitados. Quando você abre demais os braços, acaba deixando tudo cair. Você quer que seus feitos se acumulem, mas isso exige subtração, não adição. É preciso fazer menos para gerar mais efeito, em vez de fazer mais e ter efeitos colaterais. O problema de tentar fazer coisas demais é que, mesmo que isso funcione, acrescentar coisas ao seu trabalho e à sua vida sem cortar nada tem um monte de consequências negativas: prazos perdidos, resultados frustrantes, muito estresse, horas extras, sono atrasado, alimentação ruim, falta de exercícios e a perda de momentos com a família e os amigos – tudo isso em nome de algo que é mais fácil de alcançar do que você imagina.

Reduzir o foco é uma estratégia simples para atingir resultados extraordinários. E funciona. Funciona o tempo todo, em qualquer lugar e com qualquer coisa. Por quê? Porque tem apenas um propósito: levar você direto ao ponto.

Quando você reduz o foco o máximo possível, olha para apenas uma coisa. E esse é o ponto.

2 O EFEITO DOMINÓ

"Toda grande mudança começa como dominós caindo."

– BJ Thornton

Em 2009, na cidade holandesa de Leeuwarden, no Dia do Dominó (13 de novembro), a Weijers Domino Productions coordenou o recorde de derrubada de dominós alinhando 4.491.863 peças numa apresentação impressionante. Naquela ocasião, uma única peça de dominó deu início a uma queda em série que liberou mais de 94 mil joules de energia. É o equivalente à energia necessária para um homem de porte mediano fazer 545 flexões.

Cada peça de dominó representa uma pequena quantidade de energia potencial. Quanto mais peças enfileiradas, mais energia potencial acumulada. Dependendo da quantidade, é possível começar uma reação em cadeia de força surpreendente. E a Weijers Domino Production provou isso. Quando uma única coisa – a coisa certa – se põe em movimento, ela pode derrubar muitas outras. E não é só isso.

Em 1985, o *American Journal of Physics* publicou um artigo em que Lorne Whitehead alegava ter descoberto que uma fileira de dominós pode, ao cair, derrubar não somente uma grande quantidade de coisas como derrubar coisas maiores. Segundo Whitehead, cada peça de dominó é capaz de derrubar outra 50% maior.

FIG. 1 Progressão geométrica com dominós.

DOMINÓS:
UMA PROGRESSÃO GEOMÉTRICA

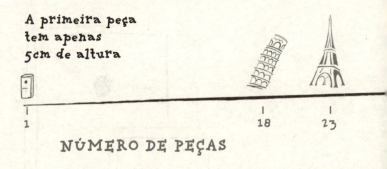

FIG. 2 Uma progressão geométrica é como um trem muito extenso: começa a se mover devagar demais para ser percebida até estar veloz demais para ser parada.

Você consegue ver o que isso implica? Não somente um dominó pode derrubar outros, mas também pode derrubar outros sucessivamente maiores. Em 2001, um físico do Exploratorium de São Francisco reproduziu o experimento de Whitehead com oito peças de dominó de compensado, cada uma 50% maior que a anterior. A primeira tinha apenas 5 centímetros de altura; a última, quase 1 metro.

A queda de dominós começou com um leve *tuc* e terminou rapidamente com um *BAM!*.

Imagine o que aconteceria se isso continuasse. Se uma queda de dominó comum é uma progressão *linear*, a de Whitehead seria descrita como uma progressão *geométrica*. O resultado pode desafiar a imaginação. A 10ª peça teria quase a altura do jogador de futebol americano Peyton

Manning. Na 18ª veríamos uma peça capaz de rivalizar com a Torre de Pisa. A 23ª seria mais alta que a Torre Eiffel e a 31ª teria quase 900 metros a mais que o Everest. A de número 57 faria uma ponte entre a Terra e a Lua!

RESULTADOS EXTRAORDINÁRIOS

Por isso, quando você pensar no sucesso, mire na Lua. Você pode alcançá-la se estabelecer prioridades e colocar toda a sua energia na realização do que for mais importante. Para ter resultados extraordinários, basta criar um efeito dominó na sua vida.

Derrubar dominós é bastante simples, basta enfileirar as peças e derrubar a primeira. Mas no mundo real a coisa é um pouco mais complicada, pois a vida não enfileira tudo para nós para depois dizer: "Comece por aqui." As pessoas muito bem-sucedidas sabem disso, e é por esse motivo que a cada dia elas enfileiram de novo suas prioridades, <u>encontram a primeira peça e se concentram nela até que ela caia</u>.

Por que essa estratégia funciona? Porque o sucesso extraordinário é sequencial, não simultâneo. O que começa linear se torna geométrico. Você faz a coisa certa, depois faz a próxima coisa certa. Com o tempo, os acertos vão se somando e o potencial geométrico do sucesso é liberado. A estratégia do efeito dominó vale para o quadro geral, como o seu trabalho ou a sua empresa, e também para o menor momento de cada dia em que você está tentando decidir o próximo passo. Sucesso gera sucesso, e quanto mais isso acontece, repetidamente, mais próximo você chega do maior sucesso possível.

Se alguém tem muito conhecimento, é porque aprendeu no decorrer do tempo. Se alguém tem diversas habilidades, é porque elas foram desenvolvidas com o tempo. Se alguém teve muitas realizações, é porque as realizou no decorrer de um longo tempo. Se alguém tem muito dinheiro, é porque o acumulou com o tempo.

A peça-chave é o tempo. O sucesso se constrói sequencialmente. É uma coisa de cada vez.

3 O SUCESSO DEIXA PISTAS

> "As pessoas que se concentram em apenas uma coisa de cada vez são as que avançam neste mundo."
>
> – Og Mandino

As provas da eficiência da Única Coisa estão em toda parte. Procure com atenção e você sempre as encontrará.

UM PRODUTO, UM SERVIÇO

As empresas extraordinariamente bem-sucedidas sempre têm um produto ou serviço pelo qual são mais conhecidas ou que lhes rende mais dinheiro. O coronel Sanders abriu a KFC com uma única receita secreta de frango. A Adolph Coors Company cresceu 1.500% entre 1947 e 1967 com apenas uma bebida, produzida em só uma cervejaria. Os microprocessadores geram a maior parte da receita líquida da Intel. E a Starbucks? Acho que você sabe.

A lista de empresas que alcançaram resultados extraordinários com o poder da Única Coisa é interminável. Às vezes o que é feito ou entregue também é o que é vendido, mas nem sempre. Veja a Google, por exemplo: sua Única Coisa é o mecanismo de busca, o que torna possível vender publicidade, sua principal fonte de receita.

E quanto a *Star Wars*? Sua Única Coisa são os filmes ou os produtos oficiais? Se você disse produtos, acertou – e também errou. Na década de 2000, a receita gerada pelos brinquedos passava dos 10 bilhões de dólares, ao passo que a bilheteria somada dos seis filmes principais em todo o mundo totalizava menos da metade disso, 4,3 bilhões. A meu ver, os filmes são a Única Coisa da linha *Star Wars*, porque são eles que possibilitam a venda dos brinquedos e de outros produtos oficiais.

Nem sempre a resposta é clara, mas isso não diminui a importância de descobri-la. É comum que inovações tecnológicas, mudanças culturais e forças competitivas façam a Única Coisa de uma empresa evoluir ou se transformar. Sabendo disso, as empresas mais bem-sucedidas estão sempre se perguntando: "Qual é a nossa Única Coisa?"

A Apple mostra como é possível criar um ambiente em que uma Única Coisa extraordinária existe ao mesmo tempo que a empresa transita para outra Única Coisa extraordinária. De 1998 a 2012, a Única Coisa da Apple passou dos Macs para os iMacs, depois para o iTunes, depois para os iPods, até chegar aos iPhones, com o iPad já despontando na corrida pelo primeiro lugar da linha de produtos. Quando um novo "dispositivo de ouro"

> "O mais importante de tudo só pode ser um. Muitas coisas podem ser importantes, mas só uma pode ser a mais importante."
>
> – Ross Garber

ganhava os holofotes, os outros não eram suspensos nem relegados às bancas de descontos. As linhas de produtos anteriores, assim como outras, continuavam a ser aperfeiçoadas enquanto a Única Coisa do momento criava um efeito de halo bem documentado, aumentando assim as chances de o cliente adotar toda a família de produtos Apple.

Quando você entende a Única Coisa, começa a ver o mundo dos negócios de modo diferente. Se hoje sua empresa não sabe qual é a Única Coisa dela, a Única Coisa da empresa deve ser descobrir qual ela é.

UMA PESSOA

A Única Coisa é um tema dominante que se revela de várias maneiras. Aplique esse conceito às pessoas e você verá onde uma pessoa faz toda a diferença. Durante o primeiro ano do ensino médio, Walt Disney fazia cursos noturnos no Instituto de Arte de Chicago e se tornou cartunista do jornal estudantil. Depois de se formar, ele queria seguir sendo cartunista, mas, como não conseguiu emprego em nenhum jornal, seu irmão Roy, que era empresário e banqueiro, conseguiu trabalho para ele num ateliê de arte. Foi lá que Walt aprendeu animação e começou a criar desenhos animados. Na juventude de Walt, sua única pessoa foi Roy.

Para Sam Walton, sua única pessoa no início foi L. S. Robson, seu sogro, que lhe emprestou os 20 mil dólares necessários para abrir sua primeira empresa de varejo, uma franquia da Ben Franklin. Mais tarde, quando Sam estava inaugurando seu primeiro Wal-Mart, Robson, sem contar a Sam, pagou 20 mil dólares por um aluguel que permitiu uma expansão fundamental.

Albert Einstein teve Max Talmud, seu primeiro mentor. Foi Max quem apresentou a um Einstein de apenas 10 anos textos fundamentais sobre matemática, ciência e filosofia. Max fez uma refeição por semana com a família Einstein durante seis anos, enquanto orientava o jovem Albert.

Ninguém se faz sozinho.

Oprah Winfrey diz que foi "salva" pelo pai e pelo tempo que passou com ele e a esposa. Ela declarou o seguinte a Jill Nelson, da *The Washington Post Magazine*:

– Se não me mandassem ir morar com meu pai, eu teria seguido outra direção.

No âmbito profissional, tudo começou com Jeffrey D. Jacobs, o "advogado, agente e consultor financeiro" que, quando Oprah precisou de orientação quanto a contratos de trabalho, a convenceu a abrir a própria empresa em vez de simplesmente "alugar" seu talento. Assim nasceu a Harpo Productions.

O mundo inteiro sabe que John Lennon e Paul McCartney tiveram grande influência sobre o sucesso um do outro como compositores, mas nos estúdios houve a presença marcante de George Martin. Considerado um dos maiores produtores musicais de todos os tempos, muitos o chamam de o "Quinto Beatle", tamanho seu papel nos discos da banda. O conhecimento musical de George ajudou a preencher as lacunas entre o talento bruto dos Beatles e o som que eles queriam produzir. A maioria dos arranjos orquestrais e das instrumentações dos Beatles, além de numerosos trechos de piano dos primeiros discos, foi escrita ou tocada por Martin.

Para todo mundo existe aquela pessoa que significa o máximo para elas ou que foi a primeira a influenciá-las, treiná-las ou administrá-las.

Ninguém alcança o sucesso sozinho. Ninguém.

UMA PAIXÃO, UMA HABILIDADE

Examine bem qualquer caso de sucesso extraordinário e você sempre encontrará a Única Coisa. Ela aparece na história de qualquer empresa de sucesso e na vida profissional de qualquer pessoa de sucesso. Também aparece ao redor das paixões e habilidades pessoais. Todos nós temos paixões e habilidades, mas você verá que as pessoas de sucesso extraordinário demonstram uma intensidade maior ou têm uma habilidade aprendida que se destaca, definindo-as ou impelindo-as mais do que qualquer outra coisa.

Muitas vezes a fronteira entre paixão e habilidade é turva, porque quase sempre elas andam juntas. Pat Matthews, um dos maiores pintores impressionistas americanos, conta que transformou sua paixão pela pintura em uma habilidade e, mais tarde, em uma profissão simplesmente pintando um quadro por dia. Assim como Angelo Amorico, um renomado guia turístico da Itália, que desenvolveu suas habilidades e sua empresa a partir da enorme paixão que nutria por seu país e do profundo desejo de compartilhar essa paixão. Esse é o enredo central das histórias de sucesso extraordinário. A paixão nos faz investir um tempo desproporcional naquilo que amamos, seja aprendendo ou praticando alguma coisa. Esse

> *"Tenha foco. Vá em busca da única coisa que você decidiu seguir."*
> – General George S. Patton

tempo acaba se traduzindo em habilidade, e quanto maior a habilidade, melhores os resultados. Resultados melhores geralmente nos deixam felizes, o que nos faz ter mais paixão e investir ainda mais tempo. É um círculo virtuoso capaz de levar a resultados extraordinários.

> "O sucesso exige uma singularidade de propósito."
> – Vince Lombardi

A grande paixão de Gilbert Tuhabonye é correr. Ele é um corredor de longa distância americano que nasceu em Songa, no Burundi, e seu amor precoce pelo atletismo o impulsionou a vencer o campeonato nacional do Burundi nos 400 e 800 metros masculinos quando estava apenas no primeiro ano do ensino médio. Essa paixão ajudou a salvar sua vida.

Em 21 de outubro de 1993, membros da tribo Hutu invadiram a escola de Gilbert e capturaram os alunos da tribo Tutsi. Os que não foram mortos imediatamente foram espancados e queimados vivos numa construção ali perto. Depois de nove horas debaixo de corpos sendo incinerados, Gilbert conseguiu escapar e, correndo mais rápido que seus captores, chegou a um hospital próximo. Foi o único sobrevivente.

Gilbert Tuhabonye foi para o Texas e continuou competindo, aprimorando suas habilidades. Recrutado pela Universidade Cristã de Abilene, ele ganhou seis campeonatos nacionais. Depois de formado, mudou-se para Austin, onde, segundo diversos relatos, é o treinador de corridas mais popular da cidade. Junto com outras pessoas, Gilbert fundou a Gazelle, voltada para a abertura de poços d'água no Burundi. O principal evento promovido pela fundação para captar recursos é a – veja só –

Run for the Water, uma corrida beneficente que acontece nas ruas de Austin. Está vendo como o tema percorre toda a vida dele?

De competidor a sobrevivente, da universidade para a carreira e em seguida para a beneficência, a paixão de Gilbert Tuhabonye pela corrida se tornou uma habilidade, que levou a uma profissão, que, por sua vez, lhe deu a oportunidade de retribuir à sociedade. O sorriso que ele dá aos corredores que treinam em volta do lago Lady Bird, em Austin, simboliza como uma paixão pode se tornar uma habilidade – e como as duas coisas juntas podem impulsionar e definir uma vida extraordinária.

A Única Coisa se revela repetidamente na vida das pessoas de sucesso porque é uma verdade fundamental. Ela apareceu para mim e, se você permitir, aparecerá também para você. Aplicar a Única Coisa no seu trabalho – e na sua vida – é a atitude mais simples e mais inteligente que você pode tomar para disparar rumo aos seus objetivos.

UMA VIDA

Se eu tivesse que escolher apenas um exemplo de alguém que aproveitou a Única Coisa para criar uma vida extraordinária, seria o empresário americano Bill Gates. A única paixão de Bill no ensino médio eram os computadores, o que o levou a desenvolver a habilidade de programação. Ainda no colégio, ele conheceu uma pessoa, Paul Allen, que lhe ofereceu seu primeiro emprego e se tornou seu sócio na criação da Microsoft. Aliás, a Microsoft nasceu graças a uma carta que eles mandaram para uma pessoa, Ed Roberts, que mudou a vida dos dois para sempre ao lhes dar a chance de escrever o código para um computador, o Altair 8800 – e eles só precisavam de uma chance. No início, a empresa de Bill Gates tinha um único propósito: desenvolver e vender interpretadores de BASIC para o Altair 8800, e foi isso que o tornou o homem mais rico do mundo durante 15 anos seguidos. Mais tarde, quando se aposentou da Microsoft, Bill Gates escolheu uma pessoa para substituí-lo como CEO: Steve Balmer, que ele conhecera na faculdade. Por sinal, Steve foi o 30º funcionário da Microsoft, mas foi o primeiro gerente de negócios contratado por Bill. E a história não termina aqui.

Bill e a esposa, Melinda, decidiram usar sua riqueza para tornar o mundo melhor. Guiados pela crença de que todas as vidas têm o mesmo valor, criaram uma fundação para fazer uma Única Coisa: enfrentar "problemas muito graves", como saúde e educação. Desde o início da Fundação Gates, a maior parte das doações foi destinada a uma área específica: o Programa de Saúde Global. O único objetivo desse programa ambicioso é usar os avanços na ciência e na tecnologia para salvar vidas em países pobres. Para isso, eles acabaram se concentrando em uma única meta: fazer com que as doenças infecciosas deixem de ser uma das principais causas de morte nesses países. Em determinado momento, eles tomaram a decisão de se concentrar em uma única coisa para alcançar essa meta: vacinas. Bill explicou: "Precisávamos escolher qual seria o investimento de maior impacto. (...) A ferramenta mágica das medidas de saúde são as vacinas, porque podem ser produzidas a baixo custo." Uma linha de raciocínio singular foi o que os levou por esse caminho, começando por uma questão levantada por Melinda: "Qual é o lugar onde a gente pode causar o maior impacto com o dinheiro?" Bill e Melinda Gates são a prova viva do poder da Única Coisa.

UMA COISA

As portas do mundo foram escancaradas diante de nós e o que vemos é estonteante. Graças à tecnologia e à inovação, as oportunidades se multiplicam e as possibilidades parecem infinitas. No entanto, o que isso tem de inspirador tem de assustador. O efeito colateral da abundância é a sobrecarga: em um único dia somos bombardeados com mais informações e escolhas do que nossos ancestrais recebiam a vida inteira. Sobrecarregados e apressados, passamos a viver com uma incômoda sensação de que tentamos fazer coisas de mais e realizamos coisas de menos.

Sentimos intuitivamente que o caminho até o mais é através do menos, mas a questão é: por onde começar? Diante de tudo que a vida tem a oferecer, como escolher? Como tomar as melhores decisões possíveis, levar uma vida extraordinária e jamais olhar para trás?

Vivendo a Única Coisa.

O que o caubói Curly sabia, todas as pessoas bem-sucedidas sabem. A Única Coisa é essencial para o sucesso e é o ponto de partida para resultados extraordinários. Baseada em pesquisas e experiências, essa é uma grande ideia sobre o sucesso embrulhada num pacote simples. Explicá-la é fácil; colocá-la em prática pode ser difícil.

Assim, antes de iniciarmos uma discussão séria e honesta sobre como a Única Coisa realmente funciona, quero discutir abertamente os mitos e a desinformação que nos impedem de aceitá-la. São as mentiras do sucesso.

Assim que nos livrarmos dessas ideias errôneas, poderemos refletir sobre a Única Coisa com a mente aberta e diante de um caminho livre.

PARTE 1

AS MENTIRAS
ELAS INDUZEM AO ERRO E DESVIAM DO CAMINHO

> "O problema não é o que você não sabe, e sim as suas certezas que não são tão certas assim."
>
> – Mark Twain

O PROBLEMA COM A "VERDADE INTUITIVA"
Em 2003, a Merriam-Webster começou a analisar buscas feitas em seu dicionário on-line para determinar qual era a "Palavra do Ano". A ideia era que, como as buscas por palavras na internet revelam o que está em nossa mente coletiva, a palavra mais procurada provavelmente capturaria o espírito da época. A primeira vencedora confirmou isso: logo após a invasão do Iraque, todo mundo parecia querer saber qual era o verdadeiro significado de "democracia". No ano seguinte, "blog", uma palavrinha

inventada que descrevia um novo modo de comunicação, chegou ao topo da lista. Em 2005, depois de todos os escândalos políticos naquele ano, "integridade" ficou em primeiro lugar.

Até que, em 2006, a Merriam-Webster veio com uma novidade: os visitantes do site podiam indicar candidatas a Palavra do Ano e também votar. Podemos dizer que foi uma tentativa de instilar feedback qualitativo em um exercício quantitativo, ou podemos simplesmente considerar uma boa jogada de marketing. A vencedora, numa vitória esmagadora, foi *truthiness*, palavra inventada pelo comediante Stephen Colbert no primeiro episódio de seu programa *The Colbert Report*, no Comedy Central, e que significa "a verdade que vem da intuição, e não dos livros". Numa Era da Informação impelida por notícias 24 horas por dia, falação interminável nas rádios e blogs sem crivo editorial, *truthiness* engloba todas as inverdades incidentais, acidentais e até mesmo intencionais que são aceitas como verdadeiras apenas por parecerem verídicas.

O problema é que o ser humano age a partir daquilo em que acredita, mesmo quando é algo em que não deveria acreditar. Assim, fica difícil vivenciar a Única Coisa porque infelizmente vivenciamos muitíssimas outras – e essas "outras coisas" costumam turvar nosso pensamento, induzir ações erradas e nos desviar do sucesso.

A vida é curta demais para caçar unicórnios, preciosa demais para confiar num pé de coelho. Quase sempre as verdadeiras soluções que buscamos estão bem diante do nosso nariz – só que, infelizmente, fica difícil enxergá-las debaixo do volume espantoso de absurdos, uma inundação de senso comum que na verdade é uma total falta de senso. Já ouviu seu chefe usar a metáfora do sapo na água? ("Se você jogar um sapo numa panela de água quente, ele pula para fora no mesmo segundo, mas, se você colocar um sapo em água morna e aumentar a temperatura aos poucos, ele fica e morre fervido.") É mentira. Uma mentira com muita cara de verdade, mas mesmo assim uma mentira. Alguém já lhe disse que o peixe só fede da cabeça para baixo? Não acredite. É só uma história de pescador que por acaso cheira mal. Já ouviu falar que o explorador Cortés queimou seus navios quando chegou à América, com o objetivo de motivar seus homens? Não é verdade. É mais uma mentira. "Aposte no jóquei, não no cavalo!" é uma frase repetida há tempos para que depositemos nossa fé na liderança de uma empresa, mas, como estratégia de aposta, esse ditado só vai levar você à pobreza – o que faz a gente se perguntar como foi que se tornou um ditado. Com o passar do tempo, mitos e inverdades são disseminados com tanta frequência que acabam se tornando familiares e, por isso, começam a parecer verdadeiros.

E aí começamos a tomar decisões importantes com base neles.

O desafio que todos enfrentamos ao desenvolver estratégias de sucesso é que, como as histórias de sapos, peixes, exploradores e jóqueis, o sucesso também tem suas mentiras. "Tenho coisas demais para fazer", "Vou conseguir realizar mais se fizer várias coisas ao mesmo tempo", "Preciso ter mais disciplina", "Eu deveria ser capaz de fazer o que quero sempre que quiser", "Preciso de uma vida mais equilibrada", "Talvez eu não devesse sonhar tão alto". Se você alimentar esses pensamentos, eles acabam se tornando as seis mentiras sobre o sucesso que nos impedem de viver a Única Coisa.

AS SEIS MENTIRAS QUE ATRAPALHAM SEU CAMINHO PARA O SUCESSO
1. Tudo tem importância igual
2. A ideia de ser multitarefas
3. A vida disciplinada
4. A força de vontade infinita
5. O equilíbrio como ideal
6. Pensar grande é ruim

As seis mentiras que atrapalham o sucesso são crenças que entram na nossa cabeça e se tornam princípios operacionais que nos levam na direção errada. São atalhos que vão dar em becos sem saída. Ouro de tolo que nos afasta da verdadeira mina. Se você quer maximizar seu potencial, terá que jogar por terra essas mentiras.

4 TUDO TEM IMPORTÂNCIA IGUAL

"As coisas que mais importam jamais devem estar à mercê de coisas que importam menos."

– Johann Wolfgang von Goethe

A igualdade é um ideal digno buscado em nome da justiça e dos direitos humanos, mas no mundo real dos resultados as coisas nunca são iguais. Não importa como os professores avaliem: não há dois alunos iguais. Não importa quão justos os árbitros tentem ser: as disputas não são igualitárias. Não importa quão talentosas as pessoas sejam: jamais existem duas iguais. Sim, um dólar equivale exatamente a 100 centavos e, sim, as pessoas devem ser tratadas de forma igualitária, mas, em termos de realizações, não é verdade que tudo tem a mesma importância.

A igualdade é uma mentira.
Entender isso é a base de todas as grandes decisões.

Como tomar decisões, então? Quando você precisa fazer muitas coisas durante o dia, como decide o que fará primeiro? Quando somos crianças, a maioria de nós faz o que precisa fazer quando é a hora de cada coisa. *Está na hora do café da manhã. Está na hora de ir para a escola. É hora de fazer o dever de casa, é hora de arrumar o quarto, de tomar banho, de ir dormir.* À medida que crescemos, ganhamos algum nível de escolha. *Você pode ir brincar se fizer o dever de casa antes do jantar.* Quando viramos adultos, tudo fica ao nosso critério. Tudo é uma escolha. E, quando nossa vida é definida por nossas escolhas, a pergunta importante é: como fazer boas escolhas?

Para complicar ainda mais, à medida que envelhecemos parece haver uma pilha cada vez maior de coisas que achamos que "simplesmente precisam ser feitas". Obrigações demais, trabalho demais, compromissos demais. Nossa condição coletiva passa a ser a de "atolados".

É então que a batalha pela prioridade fica feroz e frenética. Sem uma fórmula clara para tomar decisões, apenas reagimos ao que nos acontece e recuamos para os métodos familiares e confortáveis de decisão. O resultado disso é que, escolhendo aleatoriamente, seguimos estratégias ruins. Indo de um lado para outro como um personagem desorientado de filme de terror clichê, acabamos subindo a escada em vez de sair da casa. Em vez da melhor decisão, simplesmente tomamos qualquer decisão, e o que deveria ser progresso vira uma armadilha.

Quando tudo parece urgente e importante, tudo parece igual. Nós nos mantemos ativos e ocupados, mas isso não nos aproxima nem um pouco do sucesso. Vivemos em ativi-

> *"Nem sempre o mais importante é o que fala mais alto."*
>
> – Bob Hawke

dade mas sem produtividade, ocupados porém nos sentindo culpados.

Como disse Henry David Thoreau: "Não basta se ocupar. As formigas também se ocupam. A questão é: estamos ocupados com quê?" Cumprir dezenas de tarefas por motivos quaisquer ainda é pouco diante de cumprir ao menos uma tarefa significativa. Nem tudo tem a mesma importância e o sucesso não é um jogo vencido por quem faz mais. Mas é exatamente assim que a maioria das pessoas age todos os dias.

MUITO A FAZER A TROCO DE NADA

As listas de tarefas são um elemento fundamental nos discursos sobre a "boa gestão do tempo". Perseguidos incansavelmente por nossos desejos e os dos outros, fazemos anotações de qualquer jeito, onde e quando dá, ou registramos tudo metodicamente na agenda. Os *planners* reservam espaços valiosos para listas de tarefas diárias, semanais e mensais. Há um número incontável de aplicativos de celular para organizar tarefas, assim como programas de computador que as absorvem diretamente. Parece que por toda parte somos encorajados a fazer essas listas – e, ainda que listas sejam algo valioso, elas têm também um lado sombrio.

Apesar de servirem como uma coletânea útil das nossas melhores intenções, as listas de tarefas também nos tiranizam com coisas triviais, sem importância, que nos sentimos obrigados a realizar só porque estão na lista. É por isso que a maioria de nós tem um relacionamento de amor e ódio com as listas de tarefas. Se deixarmos, elas estabelecem nossas prioridades do mesmo modo que a caixa de entrada do e-mail pode determinar o nosso dia – a maioria fica abarrotada de e-mails desimportantes disfarçados de prioridades. Cumprir as tarefas na ordem em que elas aparecem é agir como se uma roda precisasse de graxa imediatamente só porque está rangendo. Como observou muito bem o ex-primeiro-ministro australiano Bob Hawke: "Nem sempre o mais importante é o que fala mais alto."

Os realizadores atuam de modo diferente. Eles têm uma percepção do que é essencial. Param apenas por tempo suficiente para decidir o que importa e depois permitem que o que importa direcione seu dia. Os realizadores fazem mais cedo o que os outros planejam fazer mais tarde e adiam, talvez indefinidamente, o que os outros fazem mais cedo. A diferença não está na intenção, mas na precedência. <u>Os realizadores sempre sabem identificar prioridades.</u>

Se deixada em estado bruto, como um simples inventário, uma lista de tarefas pode facilmente desviar você do caminho. Ela é simplesmente uma relação das coisas que você acha que precisa fazer, e a primeira da lista é apenas a primeira que você lembrou. Falta às listas de tarefas o propósito do sucesso. Na verdade, em geral elas não são listas de tarefas, e sim listas de sobrevivência – guiam nossos dias e nossa vida, mas não conseguem fazer com que cada dia seja um degrau para o próximo, de modo que a gente vá construindo o sucesso progressivamente. Passar horas e mais horas riscando itens da lista e terminar o dia com a lata de lixo cheia e a mesa vazia não é virtude e não tem nada a ver com sucesso. Em vez de uma lista de tarefas, você precisa de uma lista do sucesso: pensada especificamente para resultados extraordinários.

As listas de tarefas costumam ser longas, as do sucesso são curtas. Uma empurra você em todas as direções, a outra o leva numa direção específica. Uma é um diretório desorganizado, a outra é uma diretriz bem definida. Se uma lista não for pensada para o sucesso, não é para lá que ela vai levar você. Se sua lista de tarefas contém de tudo um pouco, provavelmente vai levá-lo para todo canto, menos para onde você realmente quer ir.

Mas, então, como transformar uma lista de tarefas numa lista do sucesso? Com tantas coisas que você *poderia* fazer, como decidir o que mais importa a cada momento de cada dia?

Faça como Juran.

JURAN DECIFRA O CÓDIGO
No final da década de 1930, um grupo de gestores da General Motors fez uma descoberta intrigante que abriu a porta para algo extraordinário. Um dos seus leitores de cartões (dispositivos de entrada usados nos primeiros computadores) começou a produzir informações sem sentido. Ao investigarem a máquina defeituosa, eles acabaram encontrando um modo de codificar mensagens secretas. Na época, isso tinha um valor enorme. Desde que as infames máquinas de código alemãs Enigma apareceram, na Primeira Guerra Mundial, criar e decifrar códigos eram questões de alta segurança nacional e de curiosidade pública ainda maior. Os gerentes da GM se convenceram rapidamente de que seu código acidental era indecifrável. Um homem, consultor da Western Electric que estava de visita à empresa, discordou. Ele aceitou o desafio de decifrar o código. Trabalhou a noite toda e, às três da madrugada, conseguiu. Seu nome era Joseph M. Juran.

Mais tarde, Juran citou esse incidente como o ponto de partida para decifrar um código ainda mais difícil e dar uma das suas maiores contribuições para a ciência e os negócios.

Por ele ter conseguido decifrar o código, um executivo da GM o convidou para revisar as pesquisas sobre gestão de salários que seguiam uma fórmula descrita por um economista italiano pouco conhecido, Vilfredo Pareto. No século XIX, Pareto tinha criado um modelo matemático para a distribuição de renda na Itália, declarando que 80% das terras pertenciam a 20% da população. A riqueza não era distribuída de modo igualitário. De fato, segundo Pareto, ela era concentrada de um modo altamente previsível. Pioneiro na gestão do controle de qualidade, Juran tinha notado que umas poucas falhas geralmente produziam a maioria dos defeitos. Além de parecer verdadeiro em sua experiência, esse desequilíbrio talvez fosse até mesmo uma lei universal – e Juran suspeitava que a observação de Pareto poderia ser maior do que o próprio Pareto havia imaginado.

Enquanto escrevia seu inovador livro *Quality Control Handbook* (Manual de controle de qualidade), Juran quis dar um nome curto para o conceito de "poucos vitais e muitos triviais". Uma das muitas ilustrações em seu manuscrito tinha a legenda "Princípio de Pareto da distribuição desigual...". Enquanto outros teriam chamado de Regra de Juran, ele chamou de Princípio de Pareto.

O Princípio de Pareto é tão real quanto a lei da gravidade, mas muita gente não enxerga a gravidade que há nele. Não é apenas uma teoria – é uma certeza comprovável e previsível da natureza e uma das maiores verdades já descobertas sobre a produtividade. Richard Koch, em seu livro *O Princípio 80/20*, o definiu melhor que qualquer um: "O Princípio 80/20 afirma que a menor quantidade de causas, inputs ou esforços geralmente leva à maior quantidade de resultados, outputs ou recompensas." Em outras palavras, no mundo do sucesso não há igualdade

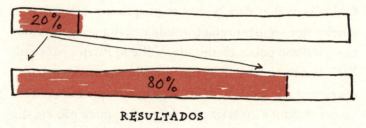

FIG. 3 — O Princípio 80/20 diz que a menor quantidade de esforço leva à maioria dos resultados.

entre as coisas. Uma pequena quantidade de fatores leva à maior parte dos resultados. O esforço seletivo traz quase todas as recompensas.

Pareto aponta numa direção muito clara: a maior parte dos seus sucessos virá da menor parte do que você fizer. Resultados extraordinários dependem de muito menos ações do que se imagina.

Só não fique preso a esses números. A verdade de Pareto é sobre desigualdade e, embora seja expressa na relação 80/20, pode assumir várias proporções. Dependendo das circunstâncias, pode facilmente surgir como, digamos, 90/20, em que 90% do seu sucesso resulta de 20% do seu esforço. Ou 70/10, ou 65/5. Mas saiba que todas essas relações refletem o mesmo princípio. A grande sacada de Juran foi perceber que nem tudo tem a mesma importância; algumas coisas importam mais do que outras – muito mais. Uma lista de tarefas se transforma numa lista do sucesso quando se usa o Princípio de Pareto.

O Princípio 80/20 tem sido uma das diretrizes mais importantes para o sucesso na minha carreira. Ele descreve um fenômeno que, assim como Juran, observei vezes e mais

FIG. 4 Uma lista de tarefas se torna uma lista do sucesso quando você estabelece prioridades.

vezes na minha vida. Algumas poucas ideias me trouxeram a maioria dos meus resultados. Alguns poucos clientes eram muito mais valiosos do que outros; um pequeno número de pessoas criou a maior parte dos meus sucessos empresariais; e um punhado de investimentos colocou mais dinheiro no meu bolso. Para todo lado que eu olhava, o conceito de distribuição desigual me saltava aos olhos. Quanto mais ele aparecia, mais eu prestava atenção – e quanto mais eu prestava atenção, mais ele aparecia. Até que finalmente parei de achar que era coincidência e comecei a aplicá-lo como o princípio absoluto do sucesso que ele de fato é – não somente na minha vida pessoal, mas também no trabalho com qualquer pessoa. E os resultados foram extraordinários.

PARETO AO EXTREMO
Pareto prova tudo que estou dizendo, mas tem um problema: ele não vai muito longe. Quero que você avance mais ainda. Quero que leve o Princípio de Pareto até o extremo.

Quero que reduza o foco e identifique os 20%, depois quero que o reduza mais ainda e encontre os pouquíssimos que são vitais entre esses poucos. A regra do 80/20 é a primeira palavra sobre o sucesso, mas não é a última. Você precisa terminar o que Pareto começou. Para chegar aonde quer chegar, você vai ter que seguir o Princípio 80/20, mas não precisa parar por aí.

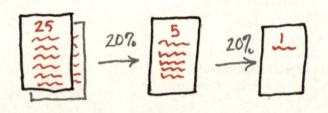

FIG. 5 Não importa quantas tarefas haja na sua lista inicial, sempre é possível reduzi-las a uma.

Continue. Você pode pegar 20% dos 20% dos 20% e continuar nisso até chegar ao que é mais importante de tudo! (ver figura 5). Não importa qual seja a tarefa, a missão ou o objetivo. Grande ou pequeno. Comece com uma lista do tamanho que quiser, mas desenvolva a mentalidade de partir daí até as poucas que são mais importantes e não parar até chegar a uma Única que é essencial. Uma Única que é imperativa. A Única Coisa.

Em 2001, convoquei nossa principal equipe executiva para uma reunião. Embora estivéssemos crescendo rápido, ainda não éramos reconhecidos pelos atores mais importantes do nosso ramo, então desafiei o grupo a pensar em 100 maneiras de dar uma guinada. Levamos o dia inteiro elaborando a lista. No dia seguinte, reduzimos a lista para 10 ideias, e a partir daí escolhemos apenas uma grande ideia. A escolhida foi que eu escreveria um livro sobre como se tornar um realizador de elite no nosso ramo de atividade. Deu certo. Em oito anos, aquele livro não somente se tornou um best-seller nacional como deu origem a uma série de livros que vendeu mais de 1 milhão de exemplares. Num ramo de negócios de cerca de 1 milhão de pessoas, uma única coisa mudou a imagem da nossa empresa para sempre.

Agora pare e faça as contas. Uma ideia dentre 100. Isso é Pareto levado ao extremo. É pensar grande, mas reduzir o foco. É aplicar o princípio da Única Coisa a um desafio empresarial de um modo muito poderoso.

Mas isso não se aplica apenas aos negócios. Quando fiz 40 anos, comecei a aprender a tocar guitarra. Logo descobri que tinha apenas 20 minutos por dia para praticar. Não era muito, por isso eu soube que precisava escolher muito bem o que aprender. Pedi ajuda ao meu amigo Eric Johnson (um dos maiores guitarristas de todos os tempos), que me disse que, se eu só podia fazer uma coisa, deveria treinar escalas. Seguindo seu conselho, escolhi a escala menor de blues. Descobri que, se aprendesse aquela escala, poderia tocar muitos dos solos dos grandes guitarristas clássicos de rock, de Eric Clapton a Billy Gibbons, talvez um dia até mesmo Eric Johnson. Essa escala se tornou minha Única Coisa da guitarra e foi o que abriu as portas do mundo do rock para mim.

Você vai encontrar a desproporção entre esforço e resultados em todos os aspectos da vida, basta procurar. E, se você aplicar esse princípio, ele vai abrir as portas do sucesso que você busca em qualquer coisa que importe para você. Sempre haverá apenas algumas poucas coisas que importam mais do que as outras e, dessas, uma será a mais importante.

Internalizar esse conceito é como ganhar uma bússola mágica. Sempre que se sentir perdido ou sem direção, é só pegá-la para se lembrar do que é mais importante.

GRANDES IDEIAS

1. **Reduza o foco.** Não se concentre em se manter ocupado, concentre-se em ser produtivo. Permita que as atividades mais importantes determinem o seu dia.
2. **Vá ao extremo.** Assim que descobrir o que é realmente importante, continue se perguntando o que é o *mais* importante até que só reste uma coisa. Essa atividade essencial irá para o topo da sua lista do sucesso.
3. **Diga não.** Quer você diga "mais tarde" ou "nunca", o objetivo é dizer "agora não" a todo o resto até que o mais importante seja feito.
4. **Não fique preso no jogo de "ticar".** Se acreditamos que as coisas não têm a mesma importância entre si, devemos agir de acordo com isso. Não podemos ficar atrelados à ideia de que tudo precisa ser feito, que o sucesso resulta de riscar itens na lista de afazeres. Não podemos ficar presos num jogo em que jamais há um vencedor. A verdade é que as coisas têm importâncias diferentes e que se atinge o sucesso fazendo o que é mais importante.

Às vezes, é a primeira coisa que você faz. Às vezes, é a única. De qualquer modo, fazer o que é mais importante é sempre o mais importante a fazer.

A IDEIA DE SER MULTITAREFAS 5

Bem, se fazer o que é mais importante é o mais importante a fazer, por que alguém tentaria fazer qualquer outra coisa ao mesmo tempo? Essa é uma boa questão.

No verão de 2009, Clifford Nass decidiu responder exatamente a isso. Sua missão? Descobrir até que ponto os supostos multitarefas conseguiam ser mesmo multitarefas. Professor na Universidade Stanford, Nass contou ao *The New York Times* que era "fascinado" pelas pessoas multitarefas e que não conseguia ser assim. Ele e sua equipe de pesquisadores entregaram questionários a 262 alunos para determinar com que fre-

"Fazer duas coisas ao mesmo tempo é não fazer nenhuma das duas."

– *Públio Siro*

quência eles realizavam várias tarefas ao mesmo tempo e então os dividiram em dois grupos: os altamente multitarefas e os pouco capazes de multitarefas. Partiram da suposição de que os multitarefas teriam um desempenho melhor. E se enganaram.

"Eu tinha certeza de que eles possuíam alguma capacidade secreta", disse Nass, "mas descobri que os multitarefas são viciados em irrelevâncias". Tiveram desempenho inferior em todas as avaliações. Apesar de terem convencido a si mesmos e ao mundo de que eram fantásticos nisso, havia apenas um problema. Citando Nass, "os multitarefas eram simplesmente péssimos em tudo".

A ideia de ser multitarefas é uma mentira.

É uma mentira porque quase todo mundo a vê como algo produtivo. Ela ficou tão comum que as pessoas chegam a achar que é algo que elas deveriam fazer, e sempre que possível. Não somente ouvimos falar sobre isso como ouvimos falar sobre como melhorar nisso. Mais de 6 milhões de sites explicam como fazer isso – inclusive sites que tratam de carreiras citam a habilidade de ser "multitarefas" como algo que os recrutadores devem buscar e que os candidatos devem citar como ponto forte. Alguns chegam a se orgulhar de sua suposta capacidade e a adotam como estilo de vida, mas, na verdade, fazer várias coisas ao mesmo tempo não é nem eficiente nem eficaz. No mundo dos resultados, isso vai deixar você na mão todas as vezes.

Quando você tenta fazer duas coisas ao mesmo tempo, ou não consegue fazê-las ou faz e nenhuma sai bem-feita.

> "Fazer várias coisas ao mesmo tempo é meramente a oportunidade de ferrar com mais de uma coisa ao mesmo tempo."
>
> – Steve Uzzell

Se você acha que esse é um bom modo de render mais, está pensando errado. É um bom modo de render menos. Como disse o fotógrafo Steve Uzzel: "Fazer várias coisas ao mesmo tempo é meramente a oportunidade de ferrar com mais de uma coisa ao mesmo tempo."

MENTE DE MACACO
O conceito de seres humanos fazendo mais de uma coisa ao mesmo tempo tem sido estudado por psicólogos desde a década de 1920, mas o termo "multitarefas" só entrou em cena na de 1960. Era usado para descrever computadores, não pessoas. Naquela época, 10 megahertz parecia uma velocidade tão espantosa que foi necessária uma palavra totalmente nova para descrever a capacidade de um computador realizar muitas funções simultâneas. Em retrospecto, a escolha provavelmente foi ruim, já que a expressão "multitarefas" é inerentemente enganosa. Ela envolve tarefas múltiplas compartilhando *alternadamente* um recurso (a CPU), mas com o tempo o conceito passou a significar tarefas múltiplas sendo feitas *simultaneamente* por um recurso (uma pessoa). Foi uma mudança de significado enganadora, já que até os computadores só processam um trecho de código de cada vez. Quando eles atuam no modo "multitarefas", ficam saltando para um lado e para o outro, alternando a atenção até que as duas tarefas sejam concluídas. A velocidade dos computadores para realizar tarefas múltiplas dá a ilusão de que tudo acontece ao mesmo tempo, de modo que não se pode comparar computadores com seres humanos.

As pessoas até conseguem fazer duas ou mais coisas ao mesmo tempo: andar e falar, ou mastigar chiclete e ler um mapa. Mas, assim como os computadores, o que elas não conseguem é se concentrar em duas coisas ao mesmo tempo. Nossa atenção fica saltando de lá para cá. Isso não afeta em nada os computadores, mas tem repercussões sérias nos seres humanos. Dois aviões recebem autorização para pousar na mesma pista; um paciente recebe o medicamento errado; um bebê é deixado sozinho numa banheira – o que todas essas tragédias potenciais têm em comum são pessoas tentando fazer coisas demais ao mesmo tempo e esquecendo algo importante.

É estranho, mas com o tempo a imagem do ser humano moderno se tornou a de uma pessoa multitarefas. Achamos que somos capazes de agir assim, por isso acreditamos que *deveríamos* agir assim. Crianças estudam enquanto trocam mensagens no celular, ouvem música ou veem TV. Adultos dirigem enquanto falam ao telefone, comem, se maquiam. Fazem uma coisa num cômodo enquanto conversam com alguém que está em outro. O celular está na mão antes mesmo que o talher pouse na mesa. Isso acontece não porque temos tempo de menos para fazer tudo que precisamos, mas porque sentimos necessidade de fazer coisas demais no tempo que temos. Assim, nos multiplicamos em dois e três, na esperança de dar conta de tudo.

E no trabalho?

O escritório moderno é um festival de exigências múltiplas que acabam com a concentração. Enquanto você tenta com diligência terminar um projeto, alguém tem uma crise de tosse numa mesa ao lado e pergunta se você tem um xarope. Você é alertado o tempo todo sobre novos e-mails que chegam em sua caixa de entrada enquanto o feed de notícias da sua rede social tenta atrair seu olhar e seu celular vibra na mesa, avisando de uma nova mensagem. Uma pilha de correspondência e montanhas de trabalho inacabado estão à vista enquanto passam pessoas o dia todo pela sua mesa para lhe fazer perguntas. Distração, perturbação, interrupção. É exaustivo manter o foco no trabalho. Pesquisas avaliam que os profissionais são interrompidos a cada 11 minutos e que, no total, passam quase um terço do dia se recuperando dessas distrações. No entanto, em meio a tudo isso ainda nos achamos capazes de fazer o que precisa ser feito dentro dos prazos.

Mas estamos nos enganando. A ideia das multitarefas é uma fraude. O premiado poeta Billy Collins resumiu muito bem: "Podemos chamar de ser multitarefas, o que faz parecer que é a capacidade de fazer um monte de coisas ao mesmo tempo. (...) Um budista chamaria isso de mente de macaco." Achamos que estamos melhorando na arte de ser multitarefas, mas só ficamos mais embananados.

MALABARISMO É ILUSÃO

Chegamos a isso naturalmente. Com a média de 4 mil pensamentos passando pela nossa cabeça por dia, é fácil entender por que tentamos ser multitarefas. Se uma mudança de pensamento a cada 14 segundos é um convite para mudar de direção, é bastante óbvio que somos tentados continuamente a fazer diversas coisas ao mesmo tempo. Enquanto fazemos uma coisa só, estamos a alguns segundos de pensar em outra que poderíamos fazer. Além disso, a história humana sugere que nossa existência continuada pode ter exigido que desenvolvêssemos a capacidade de supervisionar tarefas múltiplas ao mesmo tempo. Nossos ancestrais não teriam durado muito se não conseguissem ficar atentos a possíveis predadores ao mesmo tempo que colhiam frutas, curtiam couro ou simplesmente ficavam à toa junto a uma fogueira depois de um duro dia de caça. A pressão para fazer malabarismo com mais de uma tarefa de cada vez não apenas está no nosso âmago como provavelmente era necessária para a sobrevivência.

Mas esse malabarismo de conciliar diferentes atividades não é ser multitarefas.

O malabarismo em si é uma ilusão. Para um observador casual, o sujeito está jogando três bolas no ar ao mesmo tempo, mas na verdade ele apanha e joga as bolas independentemente, numa rápida sucessão. Pega, joga, pega, joga, pega, joga. Uma de cada vez. É o que os pesquisadores chamam de "troca de tarefas".

Quando você muda de uma tarefa para outra, voluntariamente ou não, duas coisas acontecem. A primeira é quase instantânea: você decide trocar. A segunda é menos previsível: você precisa ativar as "regras" para o que vai fazer (ver figura 6). Passar de uma tarefa simples para outra (como ver TV e dobrar roupas) é rápido e relativamente indolor, mas, se você está trabalhando numa planilha e um colega entra na sua sala para discutir um problema da empresa, a relativa complexidade dessas tarefas torna impossível saltar de um lado para outro com facilidade. Sempre demora algum tempo para você começar uma nova tarefa e reiniciar a que largou, e não há garantia de que você vai retomá-la exatamente onde ela foi deixada. Há um preço a pagar por isso. "O custo em termos de tempo extra para a troca de tarefas depende da complexidade ou simplicidade do que é feito", afirma o pesquisador David Meyer. "O acréscimo de tempo pode ir de 25% ou menos para tarefas simples a até 100% ou mais para as muito complicadas." A troca de tarefas cobra um preço que poucas pessoas percebem que estão pagando.

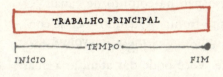

FIG. 6 Ao contrário do que se pensa, agir no modo multitarefas causa perda de tempo.

CANAIS CEREBRAIS

Então, o que acontece enquanto fazemos duas coisas ao mesmo tempo? É simples. Nós as separamos. Nosso cérebro tem canais, e graças a isso somos capazes de processar diferentes tipos de dado em diferentes partes do cérebro. Por isso você consegue falar e andar ao mesmo tempo. Nesse caso, um canal não interfere no outro. O problema é o seguinte: você não está realmente concentrado em ambas as atividades. Uma acontece em primeiro plano e outra ao fundo. Se você estivesse tentando ensinar um passageiro a pousar um DC-10, pararia de andar. Do mesmo modo, se estivesse atravessando um desfiladeiro em uma ponte de cordas, provavelmente pararia de falar. Você consegue fazer duas coisas ao mesmo tempo, mas não consegue se concentrar direito em duas coisas ao mesmo tempo. Até meu cachorro, Max, sabe disso. Quando estou entretido com um jogo de basquete na TV, ele me cutuca com força. Pelo visto, um carinho desconcentrado não é lá essas coisas.

Muitas pessoas acham que, como o corpo está funcionando sem um direcionamento consciente, estão em multitarefas. Isso é verdade, mas não como elas imaginam. Boa parte das nossas ações físicas, como respirar, está sendo direcionada de uma parte do cérebro diferente daquela de onde vem o foco, por isso não há conflito de canais. O foco acontece no córtex pré-frontal. Quando você se concentra em alguma coisa, é como se jogasse um holofote sobre o que é importante. Você pode dar atenção a duas coisas, mas é o que chamamos de "atenção dividida". E não se engane: se tentar se concentrar em duas coisas, sua atenção se divide. E se tentar uma terceira, algo vai ser deixado de lado.

O problema de tentar focar em duas coisas ao mesmo tempo aparece quando uma tarefa exige mais atenção ou quando ela utiliza um canal que já está sendo usado. Quando seu marido ou sua esposa está descrevendo como a mobília da sala foi rearrumada, você usa o córtex visual para enxergar isso mentalmente. Se por acaso nesse momento você está dirigindo, essa interferência de canais faz com que agora você enxergue a nova combinação de sofá e poltrona e fique cego para o carro que freia na sua frente. Você simplesmente não consegue se concentrar em duas coisas importantes ao mesmo tempo.

Toda vez que tentamos fazer duas ou mais coisas ao mesmo tempo, estamos simplesmente dividindo nosso foco e prejudicando todos os resultados. Veja como atuar multitarefas nos deixa em curto-circuito:

1. Você só dispõe de uma determinada capacidade cerebral a cada momento. Você pode dividi-la quanto quiser, mas pagará um preço em tempo e eficácia.
2. Quanto mais tempo você gastar em outra tarefa, menos provável é que volte à tarefa original. É assim que as pontas soltas se acumulam.
3. Se você ficar saltando de uma atividade para outra, vai perder tempo enquanto seu cérebro se reorienta. E esses milissegundos vão se acumulando. Pesquisadores estimam que perdemos 28% de um dia de trabalho comum para a ineficácia da atuação multitarefas.
4. Os multitarefas crônicos desenvolvem um senso distorcido do tempo necessário para fazer as coisas. Eles quase sempre acreditam que as coisas levam mais tempo do que é realmente necessário.
5. Os multitarefas cometem mais erros do que os não multitarefas. Eles tomam decisões piores porque favorecem as informações novas em detrimento das antigas, mesmo que as antigas sejam mais valiosas.
6. Os multitarefas sofrem mais estresse, que reduz o tempo de vida e esmaga a felicidade.

Com pesquisas tão claras, parece insano – sabendo como ser multitarefas leva a erros, a escolhas ruins e a estresse – que mesmo assim tentemos agir desse modo. Talvez seja simplesmente tentador demais. Os profissionais que passam o dia diante do computador trocam de janela ou verificam e-mails e outros programas quase 37 vezes por hora. Um ambiente com distrações nos deixa ainda mais sem foco. Ou talvez seja o "barato". Os multitarefas sentem uma empolgação na troca – uma liberação de dopamina – que pode ser viciante. Sem isso, eles correm o risco de se sentir entediados. Qualquer que seja o motivo, os resultados são inequívocos: agir no modo multitarefas nos deixa mais lentos e menos competentes.

IMPELIDO À DISTRAÇÃO
Em 2009, o repórter Matt Richtel, do *The New York Times*, ganhou o Prêmio Pulitzer para Reportagens Nacionais com uma série de artigos ("Impelidos à Distração") que falavam dos perigos de dirigir e usar o celular ao mesmo tempo, seja para trocar mensagens ou falar. Ele descobriu que a distração durante a direção é responsável por 16% de todas as mortes no trânsito e por quase meio milhão de feridos a cada ano. Mesmo uma conversa telefônica tranquila nos tira 40% da concentração na direção e, o mais surpreendente, pode ser tão perigoso quanto dirigir embriagado. As evidências disso são tão fortes que em muitos lugares foi proibido o uso do celular ao dirigir. Faz sentido. Ainda que alguns de nós façamos isso de vez em quando, jamais perdoaríamos nossos filhos pela mesma atitude. Basta uma mensagem de texto para transformar o carro da família num perigoso aríete de 2 toneladas. O modo multitarefas é literalmente desastroso.

Tudo bem, sabemos que fazer mais de uma coisa ao mesmo tempo pode até ser fatal quando há vidas em jogo. Não esperamos de pilotos de avião e cirurgiões nada menos que o foco total e absoluto no trabalho, e acreditamos que qualquer um no lugar deles que não agir assim deve ser severamente repreendido; não há argumento capaz de nos fazer ter tolerância à falta de concentração por parte desses profissionais. No entanto, cá estamos nós vivendo segundo outro padrão. Será que não damos valor ao nosso trabalho, não levamos a sério nossa profissão? Por que tolerar a ideia das multitarefas quando estamos fazendo nosso trabalho mais importante? Só porque não estamos colocando uma ponte de safena em alguém não quer dizer que a concentração é menos fundamental para o nosso sucesso ou o dos outros. O seu trabalho não merece menos respeito. No momento pode não parecer, mas a conectividade de tudo que fazemos significa, em última instância, que cada um de nós não somente tem um trabalho a fazer, mas que merece ser bem-feito. Pense do seguinte modo: se realmente perdemos quase um terço do dia de trabalho com distrações, qual seria a perda cumulativa ao longo de toda uma carreira? Qual seria a perda para outros profissionais? E para as empresas? Se você pensar bem, talvez descubra que, caso não encontre um jeito de resolver isso, pode acabar perdendo sua carreira ou seu negócio. Ou, pior, pode fazer com que outras pessoas percam a carreira ou o negócio delas.

Deixando um pouco de lado o trabalho, quais são os prejuízos causados pelas distrações à nossa vida pessoal? O escritor Dave Crenshaw acertou em cheio ao escrever o seguinte:

"As pessoas com quem vivemos e trabalhamos diariamente merecem nossa atenção total. Quando damos atenção segmentada às pessoas, um tempo picotado, saltando para lá e para cá, o custo da troca é maior do que o mero tempo que foi prejudicado. Acabamos prejudicando nossas relações."

Toda vez que vejo um casal jantando em que um dos dois tenta se comunicar enquanto o outro digita mensagens no celular por baixo da mesa, me lembro da verdade simples dessa afirmação.

GRANDES IDEIAS

1. **A distração é natural.** Não se sinta mal quando se distrair. Acontece com todo mundo.
2. **O modo multitarefas é prejudicial.** Seja em casa ou no trabalho, distrações levam a escolhas ruins, erros dolorosos e estresse desnecessário.
3. **A distração prejudica os resultados.** Ao tentar fazer coisas demais ao mesmo tempo, você pode acabar não fazendo nada bem-feito. Descubra o que é mais importante no momento e dê sua atenção total a isso.

Para conseguir colocar em prática o princípio da Única Coisa, você não pode engolir a mentira de que é uma boa ideia tentar fazer duas coisas ao mesmo tempo. Você pode até fazer isso às vezes, mas nunca vai fazer as duas com qualidade.

A VIDA DISCIPLINADA 6

Existe uma ideia disseminada de que bem-sucedido é aquele que é "disciplinado" e que leva uma "vida disciplinada".

É mentira.

A verdade é que não precisamos de mais disciplina do que já temos. Só precisamos direcioná-la e administrá-la um pouco melhor.

Ao contrário do que a maioria pensa, o sucesso não é uma maratona de ações disciplinadas. A realização não exige que você seja uma pessoa disciplinada em tempo integral, em que cada ação é ensaiada e o controle é a solução em todas as situações.

> "Um dos mitos predominantes da nossa cultura é a autodisciplina."
> – Leo Babauta

O sucesso é uma corrida de curta distância – uma arrancada alimentada pela disciplina apenas pelo tempo necessário para o hábito assumir o controle.

Quando sabemos que algo precisa ser feito mas não está sendo, geralmente dizemos: "Só preciso de mais disciplina." Mas não: precisamos é do hábito de fazer aquilo. E a disciplina necessária é apenas o suficiente para criar esse hábito.

Em qualquer discussão sobre o sucesso, as palavras "disciplina" e "hábito" acabam se cruzando. Ainda que tenham significados distintos, elas se conectam de modo poderoso para formar o alicerce da realização: trabalhar regularmente em alguma coisa até que ela trabalhe regularmente para você. Quando você se disciplina, está, em essência, treinando para agir de modo específico. Se permanecer assim por tempo suficiente, a ação se transforma em rotina, ou, em outras palavras, em um hábito. Assim, quando você vê pessoas que parecem "disciplinadas", o que está enxergando de verdade são pessoas que treinaram para incluir um punhado de hábitos em sua vida. Isso faz com que pareçam disciplinadas quando na verdade não são. Ninguém é.

E quem desejaria ser, aliás? A simples ideia de ter cada comportamento moldado e mantido por treino parece assustadoramente impossível e extremamente entediante. A maioria das pessoas acaba chegando a essa conclusão, mas, não vendo alternativa, redobra o esforço para realizar o impossível ou acaba desistindo. Então vem a frustração e, por fim, a resignação.

Você não precisa ser disciplinado para conseguir o que quer. Você pode alcançar suas metas com menos disciplina do que imagina. E o motivo é simples: o sucesso exige fazer a coisa certa, não fazer tudo do jeito certo.

O segredo do sucesso é escolher o hábito correto e usar apenas a disciplina necessária para formá-lo. Só isso. Você só precisa dessa quantidade de disciplina. À medida que esse hábito fizer parte da sua vida, você vai começar a parecer uma pessoa disciplinada, mas não será. Será alguém que tem algo que funciona regularmente para você porque se esforçou regularmente por isso. Será uma pessoa que usou de um pouco de disciplina seletiva para criar um hábito poderoso.

A DISCIPLINA SELETIVA LEVA AO TOPO DO PÓDIO
O nadador olímpico Michael Phelps é um exemplo perfeito de disciplina seletiva. Na infância, quando foi diagnosticado com TDAH, a professora da escola disse à mãe dele: "Michael não consegue ficar parado. Michael não consegue ficar quieto... Ele não tem talento. Seu filho jamais vai conseguir se concentrar em nada." Bob Bowman, seu treinador desde os 11 anos, conta que Michael passava muito tempo na lateral da piscina, perto do posto do salva-vidas, de castigo por mau comportamento. Esse mesmo mau comportamento surgiu de vez em quando em sua vida adulta.

E mesmo assim ele quebrou dezenas de recordes mundiais. Em 2004, ganhou seis medalhas de ouro e duas de bronze nas Olimpíadas de Atenas, e em 2008 chegou ao recorde de oito ouros em Pequim, ultrapassando o lendário Mark Spitz. Suas 18 medalhas de ouro estabeleceram um recorde para todos os esportes olímpicos. Antes de pendurar os óculos e se aposentar, suas vitórias na Olimpíada de Londres em 2012 elevaram seu total de medalhas a 22 e lhe garantiram o status de atleta olímpico mais premiado de todos os esportes e de toda a história. Um repórter comentou o seguinte sobre Phelps: "Se ele fosse um país, estaria em 12º lugar nas últimas três olimpíadas." Hoje em dia, sua mãe diz: "A capacidade de concentração de Michael me espanta." O treinador Bowman diz que esse é "o atributo mais forte" do atleta. Como isso aconteceu? Como o garoto que "jamais conseguiria se concentrar em nada" realizou tanto?

Phelps se tornou uma pessoa com disciplina seletiva.

Dos 14 anos até as Olimpíadas de Pequim, Phelps treinou sete dias por semana, 365 dias por ano. Ele considerou que, se treinasse nos domingos, teria uma vantagem de 52 dias de treino na competição. Passava seis horas por dia na água. "Canalizar a energia é um dos seus pontos mais fortes", disse Bowman. Não querendo simplificar demais, não é exagero dizer que Phelps canalizou toda a sua energia para uma disciplina que se transformou em hábito: nadar todos os dias.

A recompensa por desenvolver o hábito certo é evidente: leva a pessoa a alcançar o que deseja. O que às vezes passa despercebido é que isso também simplifica a vida. A rotina fica mais clara e menos complicada, porque a gente sabe o que precisa e o que não precisa ser bem-feito. O fato é que usar disciplina para criar o hábito certo nos dá a licença para ser menos disciplinados em outras áreas. Ao fazer a coisa certa, você se liberta de ter que monitorar tudo.

Michael Phelps se encontrou na natação. Com o tempo, a disciplina para alcançar isso formou o hábito que mudou sua vida.

66 DIAS PARA CHEGAR LÁ

Disciplina e hábito – vamos ser francos, ninguém quer falar sobre essas coisas. Eu também não quero. As imagens que essas palavras conjuram na nossa mente são de algo difícil e desagradável. Só de ler as palavras já fico exausto. A boa notícia é que a disciplina correta nos leva longe e os hábitos são difíceis só no início. Com o tempo, fica cada vez mais fácil manter um hábito. É verdade. Manter hábitos exige muito menos energia e esforço do que começá-los (ver figura 7). Se aguentarmos a disciplina por tempo suficiente para transformá-la em hábito, tudo fica diferente. Mantenha um hábito até que ele se torne parte da sua vida e você poderá dominar a rotina com menos desgaste. O que é difícil se torna um hábito e o hábito torna fácil o que antes era difícil.

Mas, afinal, por quanto tempo é preciso manter a disciplina? Pesquisadores da University College de Londres têm a resposta. Em 2009, eles se fizeram esta pergunta: em quanto tempo se forma um hábito novo? O objetivo era descobrir o momento em que um novo comportamento se torna automático ou arraigado. O ponto da "automati-

O PAPEL DA DISCIPLINA NA REALIZAÇÃO

FIG. 7 Depois que um comportamento se torna um hábito, é preciso menos disciplina para mantê-lo.

cidade" chegava quando os participantes alcançavam 95% da curva de potência e o esforço necessário para sustentá-lo era praticamente o mínimo possível. Eles pediram que os estudantes estabelecessem objetivos de exercícios físicos e alimentação durante um período de tempo e monitoraram o progresso deles. Os resultados sugerem que são necessários em média 66 dias para adquirir um novo hábito. A variação total foi de 18 a 254 dias, mas os 66 representavam um ponto ideal – com os comportamentos mais fáceis demorando menos dias em média e os difíceis demorando mais. Os gurus da autoajuda costumam pregar que se leva 21 dias para fazer uma mudança, mas a ciência moderna não confirma isso. Demora um tempo para desenvolver o hábito certo, por isso não desista cedo demais. Depois de decidir qual é o hábito certo a incorporar, leve todo o tempo necessário e aplique toda a disciplina possível para desenvolvê-lo.

Os pesquisadores australianos Megan Oaten e Ken Cheng descobriram inclusive alguma evidência de um efeito de halo ao redor da criação de hábitos. Em seus estudos, os estudantes que tiveram sucesso em adquirir um hábito positivo demonstravam menos estresse, menos consumo por impulso, melhores hábitos alimentares, redução no consumo de álcool e de cafeína, redução do tabagismo, menos horas vendo TV e até menos louça suja na pia. Se você mantiver a disciplina por tempo suficiente para que ela se transforme em hábito, não somente o hábito se torna mais fácil como outras coisas também ficam mais fáceis. É por isso que as pessoas que têm hábitos certos parecem se sair melhor do que as outras. Elas estão fazendo o que é mais importante com regularidade e, consequentemente, todo o resto fica mais fácil.

GRANDES IDEIAS

1. **Não seja uma pessoa disciplinada.** Seja uma pessoa com hábitos poderosos e use a disciplina seletiva para desenvolvê-los.
2. **Desenvolva um hábito de cada vez.** O sucesso é sequencial, não simultâneo. Ninguém tem disciplina para adquirir mais de um hábito poderoso ao mesmo tempo. As pessoas extremamente bem-sucedidas não são sobre-humanas, apenas usaram a disciplina seletiva para desenvolver alguns hábitos significativos. Um de cada vez. Com o tempo.
3. **Dê tempo suficiente a cada hábito.** Mantenha a disciplina por tempo suficiente para que ela se torne rotineira. Novos hábitos demoram em média 66 dias para se formar. Assim que um estiver estabelecido solidamente você pode incrementá-lo ou, se for adequado, criar outro.

Se você é o que você faz repetidamente, a realização não é uma ação que você executa, e sim um hábito forjado em sua vida. Você não precisa procurar o sucesso. Use o poder da disciplina seletiva para criar o hábito certo e resultados extraordinários irão ao seu encontro.

7 A FORÇA DE VONTADE INFINITA

"Ulisses sabia como a força de vontade é fraca quando pediu que sua tripulação o amarrasse ao mastro enquanto navegavam perto das sereias sedutoras."

– Patricia Cohen

Por que você faria alguma coisa do modo mais difícil? Por que voluntariamente se colocaria numa sinuca, ou entre a cruz e a espada, ou trabalharia com uma mão nas costas? Você não faria isso. Mas a maioria das pessoas faz todos os dias, sem querer. Quando associamos nosso sucesso à nossa força de vontade sem entender o que isso realmente significa, estamos na rota do fracasso. E não precisamos viver assim.

Frequentemente citado como uma declaração sobre a determinação, o velho ditado "Querer é poder" provavelmente já prejudicou mais gente do que ajudou. Ele simplesmente sai da boca ou surge na mente com tanta rapidez que poucos param para perceber seu significado pleno. Considerado por muitos como a única fonte de força pessoal, ele é mal interpretado como uma prescrição unidimensional para o sucesso. Mas, para que a vontade – o querer – alcance seu aspecto mais poderoso, é preciso mais. Se você pensar na força de vontade como se fosse apenas uma convocação de caráter, deixará de entender um elemento essencial para usá-la: saber perceber os momentos certos.

Passei a maior parte da vida sem nunca pensar muito sobre a força de vontade. Assim que fiz isso, ela me cativou. A capacidade de se controlar para determinar o próprio comportamento é uma ideia poderosa. Se for fruto de treino, seu nome vira disciplina. Mas, se você fizer isso simplesmente porque pode, é puro poder. O poder da força de vontade.

Parecia tão simples: se eu invocasse minha força de vontade, o sucesso era garantido. Eu estava no caminho. Infelizmente, foi uma viagem curta. Quando tentei impor minha vontade em questões mais complicadas, logo desanimei: eu nem sempre tinha força de vontade. Num momento eu tinha, e no outro... puf! Nada. Num instante ela havia sumido sem prestar contas, no outro... uau! Estava à minha disposição. Minha força de vontade parecia ir e vir como se tivesse vida própria. Construir o sucesso a partir da força de vontade total e sempre disponível não deu certo. A primeira coisa que pensei foi que devia haver algo errado comigo. Será que eu era um fracassado? Parecia que sim. Pelo jeito, eu não tinha garra. Nem força de caráter. Nenhuma fortaleza interior. Então respirei fundo, estufei o peito, redobrei os esforços e... cheguei a uma conclusão humilde: a força de vontade não está sempre de plantão. Por maior que fosse minha motivação, a força de vontade simplesmente não ficava sentada esperando meu chamado, pronta para reforçar minha determinação com relação a qualquer meta. Fiquei perplexo. Sempre achei que ela estaria a postos o tempo todo. Que eu simplesmente poderia invocá-la sempre que quisesse, para conseguir qualquer coisa. Estava errado.

É mentira que a força de vontade está sempre disponível. A maioria das pessoas até sabe que é importante ter força de vontade, mas um grande número talvez não compreenda como ela é fundamental para o sucesso. Um projeto de pesquisa tremendamente incomum revelou quão importante ela é mesmo.

TORTURA DE CRIANCINHAS

No final da década de 1960 e início dos anos 1970, o pesquisador Walter Mischel começou a atormentar crianças de 4 anos metodicamente na escola Bing, da Universidade Stanford. Mais de 500 crianças foram levadas para participar do programa diabólico pelos próprios pais, muitos dos quais viriam a rir implacavelmente, assim como milhões de outras pessoas, dos vídeos que mostravam as pobres crianças sofrendo e se retorcendo. O experimento maligno se chamou "Teste do marshmallow". Era um modo interessante de observar a força de vontade.

Uma guloseima era oferecida às crianças: podia ser um pretzel, um biscoito ou o atualmente infame marshmallow. Em seguida, o pesquisador dizia à criança que precisava sair da sala por 15 minutos e que, se ela o esperasse para comer, receberia um segundo doce. Um agora ou dois mais tarde. (Mischel soube que o teste tinha sido bem pensado quando algumas crianças quiseram desistir assim que ouviram as regras.)

Sozinhas com um marshmallow que não podiam comer, as crianças partiam para todo tipo de estratégia para se segurarem, desde fechar os olhos, puxar os cabelos e se virar de costas até ficarem curvadas sobre o doce, cheirá-lo e acariciá-lo. Em média, elas resistiam por menos de três minutos. E, de cada 10 crianças, apenas três conseguiam adiar a gratificação até a volta do pesquisador. Era bastante evidente que a maioria tinha dificuldade para adiar a gratificação. O estoque de força de vontade era baixo.

A princípio, ninguém pensou em avaliar se o desempenho no teste do marshmallow diria alguma coisa sobre o futuro da criança. Essa ideia surgiu organicamente. As três filhas de Mischel estudavam na escola Bing, e nos anos seguintes ele começou, aos poucos, a notar um padrão quando perguntava a elas sobre os colegas de turma que tinham participado do experimento. As crianças que tinham conseguido esperar pelo segundo doce pareciam estar se saindo melhor. Muito melhor.

A partir de 1981, Mischel começou a acompanhar sistematicamente os participantes do teste. Requisitou cópias de boletins, compilou registros e enviou questionários, numa tentativa de avaliar o progresso acadêmico e social deles. Por mais de 30 anos Mischel e outros pesquisadores publicaram numerosos artigos sobre como os menos "imediatistas" se saíam melhor. O sucesso no experimento previu um melhor desempenho acadêmico geral, 210 pontos a mais nos exames para ingresso em universidades, maior autoestima e melhor administração do estresse. Por outro lado, os mais "imediatistas" tinham uma probabilidade 30% maior de ficar acima do peso e mais tarde tiveram taxas mais altas de vício em drogas. Quando você ouvia sua mãe dizer que quem espera sempre alcança, ela não estava brincando.

A força de vontade é tão importante que saber usá-la deveria ser uma grande prioridade. Infelizmente, como é um recurso limitado, é preciso saber administrá-la. Assim como em "Deus ajuda quem cedo madruga", a força de vontade envolve aproveitar o momento. *Quando* você tem força de vontade, consegue o que quer. Ainda que o caráter seja um elemento essencial da força de vontade, o segredo para aproveitá-la é o momento em que você a usa.

ENERGIA RENOVÁVEL
Pense na força de vontade como o nível da bateria do seu celular. Você começa o dia com carga total. À medida que as horas passam e você usa o aparelho, ela vai diminuindo. O mesmo acontece com a sua determinação, e, quando aparece o ícone de alerta, é porque você está esgotado. A força de vontade tem bateria limitada, mas pode ser recarregada com um tempo de descanso. É um recurso limitado, porém renovável. Sendo limitado, cada ato que exige força de vontade é uma situação de ganhar e perder, pois, ao ganhar naquele momento, você aumenta a probabilidade de perder em um momento posterior, já que terá menos força de vontade. Após um dia difícil, que exigiu muita força de vontade, a tentação de atacar a geladeira pode arruinar a sua dieta.

Todo mundo entende que recursos limitados devem ser usados com moderação, mas falta reconhecer que a força de vontade é um deles. Agimos como se o estoque fosse infinito, sem considerar que é um recurso pessoal que deve ser administrado, como a comida ou as horas de sono. Assim, estamos repetidamente nos vendo em apuros, porque quando mais precisamos da força de vontade ela pode já ter se esgotado.

A pesquisa do professor Baba Shiv, da Universidade Stanford, mostra como nossa força de vontade pode ser fugaz. Ele dividiu 165 alunos de graduação em dois grupos e pediu que memorizassem um número de dois dígitos ou um de sete dígitos. As duas tarefas estavam dentro da capacidade cognitiva de uma pessoa comum e não havia limite de tempo. Quando estavam prontos, os alunos iam para outra sala, onde diriam o número. No caminho, era oferecido um lanche em troca da participação no estudo. As opções eram bolo de chocolate ou uma tigela de salada de frutas – prazer ou comida saudável. E aqui vai a surpresa: era quase duas vezes mais provável que os alunos que memorizaram o número de sete dígitos escolhessem o bolo. A quantidade minúscula de carga cognitiva a mais era o bastante para impedir uma escolha prudente.

As implicações disso são imensas. Quanto mais usamos nossa mente, menos poder mental temos. A força de vontade é como um músculo de ação rápida que se cansa e precisa de repouso. É incrivelmente potente, mas não tem resistência. Como disse Kathleen Vohs na revista *Prevention* em 2009: "A força de vontade é como a gasolina no seu carro (...) Ao resistir a uma tentação, você usa um pouco dela. Quanto mais você resiste, mais vazio fica o seu tanque, até que você fica sem combustível." Aliás, são necessários apenas cinco dígitos extras para esgotar sua força de vontade.

Decisões nos drenam, mas o que comemos também é determinante no nosso nível de força de vontade.

ALIMENTO PARA O PENSAMENTO

O cérebro representa 1/50 da nossa massa corporal, mas responde pelo espantoso consumo de 1/5 das calorias que queimamos para obter energia. Se o cérebro fosse um veículo, seria um tanque de guerra em termos de gasto de combustível. A maior parte da nossa atividade consciente acontece no córtex pré-frontal, a parte do cérebro responsável pelo foco, pela memória de curto prazo, pela solução de problemas e pela moderação e o controle dos impulsos. Ou seja, está no cerne do que nos torna humanos e é o centro do nosso controle de ações e da nossa força de vontade.

Aqui vai um fato interessante. A teoria do "último a entrar, primeiro a sair", que se aplica a várias coisas, se prova bastante verdadeira dentro da nossa cabeça. As partes do nosso cérebro mais recentes em termos evolutivos são as primeiras a sofrer se houver uma escassez de recursos. As áreas mais antigas e mais desenvolvidas, como as que regulam a respiração e as reações nervosas, são as primeiras a receber sangue e praticamente não são afetadas se pulamos uma refeição. Mas o córtex pré-frontal sente o impacto. Como é relativamente jovem em termos de desenvolvimento humano, ele é como o filhote menorzinho da ninhada, que fica para trás na hora de mamar.

Pesquisas avançadas mostram por que é interessante saber isso. Um artigo publicado em 2007 no *Journal of Personality and Social Psychology* detalhou nove estudos independentes sobre o impacto da alimentação na força de vontade. Numa determinada situação, os pesquisadores designaram tarefas que exigiam ou não a força de vontade e mediram os níveis de açúcar no sangue antes e depois de cada uma. Os participantes que exercem a força de vontade mostravam uma queda significativa nos níveis de glicose na corrente sanguínea. Estudos posteriores mostraram o impacto sobre o desempenho quando dois grupos completavam uma tarefa que exigia força de vontade e depois faziam outra. No intervalo entre uma tarefa e outra, um grupo recebeu um copo de limonada adoçada com açúcar de verdade e o outro recebeu um placebo, limonada com adoçante artificial. No teste seguinte, o grupo do placebo cometeu mais ou menos o dobro de erros do grupo que recebeu açúcar.

Os estudos concluíram que a força de vontade é um músculo mental que não se recupera rápido. Se você a usa agora, haverá menos disponível para a próxima vez, a não ser que se reabasteça. Para dar o máximo de nós mesmos, precisamos literalmente alimentar a mente. Os alimentos que elevam o nível de açúcar no sangue durante longos períodos, como os carboidratos complexos e as proteínas, são o combustível ideal para os grandes realizadores – prova cabal de que "você é o que você come".

JULGAMENTO PADRÃO

Um dos verdadeiros desafios que enfrentamos é que, quando nossa força de vontade está baixa, tendemos a recair nos velhos padrões de sempre. O pesquisador Jonathan Levav, da Escola de Administração de Stanford, junto com Liora Avnaim-Pesso e Shai Danziger, da Universidade Ben Gurion, do Neguev, encontraram um jeito criativo de investigar isso. Eles examinaram a fundo o impacto da força de vontade no sistema de liberdade condicional em Israel.

Eles analisaram 1.112 audiências de liberdade condicional realizadas por oito juízes num período de 10 meses (o que por acaso representou um total de 40% de todos os pedidos de liberdade condicional em Israel naquele período). É um ritmo extenuante para os juízes. Eles ouvem os argumentos e demoram em média seis minutos para tomar uma decisão, atendendo de 14 a 35 pedidos por dia, e têm apenas dois intervalos (um lanche de manhã e outro no fim da tarde) para descansar e se reabastecer. O impacto dessa maratona é tão espetacular quanto surpreendente: pela manhã e depois de cada intervalo, as chances dos candidatos à liberdade condicional chegam a 65%, mas caem para quase zero no fim de cada período (ver figura 8).

É muito provável que os resultados sejam afetados pelo desgaste mental de tomar seguidas decisões. São decisões importantes tanto para os candidatos à condicional quanto para a sociedade, e os riscos altos e o ritmo intenso exigem muito foco ao longo de todo o dia. À medida que a energia dos juízes é usada, a mente deles cai na "decisão padrão", o que não é muito favorável para o outro lado. A decisão padrão para um juiz de condicional é o não. Quando ele está em dúvida e com pouca força de vontade, os prisioneiros permanecem atrás das grades.

E, se você não tomar cuidado, também pode acabar condenado pela sua configuração padrão.

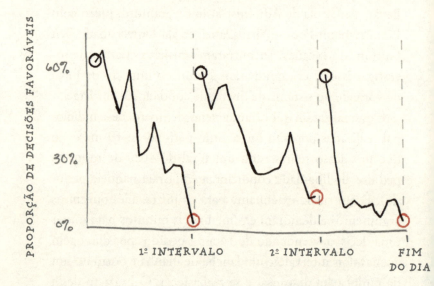

FIG. 8 Boas decisões não dependem somente de sabedoria e bom senso.

Quando a força de vontade acaba, todo mundo recai na configuração padrão. Isso nos leva à pergunta: *Qual é a sua configuração padrão?* Se sua força de vontade está se arrastando, você vai pegar a porção de cenouras ou o saquinho de batata frita? Você vai estar em condições de se concentrar no trabalho à sua frente ou vai cair em qualquer distração que aparecer? Quando seu trabalho mais importante é feito enquanto sua força de vontade se esvai, a configuração padrão definirá seu nível de realização. O resultado costuma ser mediano.

DÊ ATENÇÃO À FORÇA DE VONTADE

Não perdemos a força de vontade por pensar nela, e sim por não pensar. Sem perceber que ela pode vir e ir embora, deixamos que ela faça exatamente isso. Se não a protegermos todo dia, acabamos indo do "querer é poder" para o não querer nem poder. Se estamos atrás do sucesso, isso não vai funcionar.

Pense nisso. Existem níveis na força de vontade. Assim como o indicador da bateria passando do verde para o vermelho, existe força de vontade e força da *falta* de vontade. A maioria das pessoas coloca a força da falta de vontade em seus desafios mais importantes sem ao menos perceber que é isso que os torna tão difíceis. Quando não pensamos que a determinação é um recurso que pode se esgotar, quando não a reservamos para o que é mais importante, quando não a reabastecemos, provavelmente estamos trilhando o caminho mais difícil para o sucesso.

E como colocar a força de vontade em ação? Pense nela. Preste atenção nela. Respeite-a. Estabeleça como prioridade fazer o que é mais importante quando sua força de vontade estiver no nível mais alto. Em outras palavras, dê a ela a atenção que ela merece.

O QUE CONSOME A FORÇA DE VONTADE

- Implementar novos comportamentos
- Filtrar distrações
- Resistir a tentações
- Conter emoções
- Conter a agressividade
- Conter impulsos
- Passar por testes
- Tentar impressionar os outros
- Enfrentar o medo
- Fazer algo que não lhe agrada
- Escolher recompensas de longo prazo e não de curto prazo

Todo dia, sem perceber, realizamos todo tipo de atividade que reduz nossa força de vontade. Ela se reduz quando decidimos direcionar nossa atenção, conter sentimentos e impulsos ou modificar algum comportamento para alcançar objetivos. É como pegar um prego e furar nossa mangueira de combustível: a força de vontade começa a vazar por todo canto, não restando nada para o trabalho mais importante. Assim, como qualquer outro recurso limitado porém vital, a força de vontade precisa ser administrada.

Nesse sentido, perceber os momentos é tudo. Você precisará do tanque cheio de força de vontade para garantir que, quando estiver fazendo a coisa certa, não vai deixar nada distraí-lo nem afastá-lo do caminho. Depois, ainda precisará de alguma dose de força de vontade pelo resto do dia para sustentar ou para não desperdiçar o que fez. Esse é o volume de força de vontade necessário para o sucesso, então, se você quiser obter o máximo do seu dia, faça o trabalho mais importante – sua Única Coisa – cedo, antes que sua força de vontade se desgaste. Como o seu autocontrole será reduzido ao longo do dia, use-o para o que for mais importante quando ele estiver com carga total.

GRANDES IDEIAS

1. **Não exija demais da sua força de vontade.** Você tem uma dose limitada dela a cada dia, portanto, decida o que é importante e reserve sua força de vontade para isso.
2. **Fique atento ao nível do combustível.** A força de vontade total exige um tanque cheio. Jamais deixe que o mais importante seja prejudicado simplesmente por falta de combustível no cérebro. Alimente-se bem e regularmente.
3. **Determine o horário.** A tarefa mais importante a fazer deve ser a primeira do dia, quando o tanque está cheio. Força de vontade máxima produz sucesso máximo.

Não lute contra sua força de vontade. Organize seu dia de acordo com o ciclo dela e deixe que ela faça a parte dela para organizar sua vida. A força de vontade pode não ser infinita, mas, quando é usada primeiro no que é mais importante, sempre podemos contar com ela.

8 O EQUILÍBRIO COMO IDEAL

"Equilíbrio é papo-furado. É um sonho impossível. A busca do equilíbrio entre vida profissional e vida pessoal é destinada ao fracasso, além de dolorosa e destruidora."

– Keith H. Hammonds

Nada jamais alcança um equilíbrio absoluto. Nada. Por mais imperceptível que seja, o que parece ser um estado de equilíbrio é algo totalmente diferente: um ato de *equilibrar*. Considerado melancolicamente um substantivo, na prática o equilíbrio é vivido como um verbo. Visto como algo que em última instância alcançamos, na verdade o equilíbrio é algo que fazemos constantemente. Uma "vida equilibrada" é um mito – um conceito enganoso que a maioria das pessoas aceita sem nem parar para pensar sobre isso. Quero que você pense nele. Que o desafie. Quero que o rejeite.

Uma vida equilibrada é uma mentira.

A ideia de equilíbrio é apenas uma ideia mesmo. Na filosofia, a "média áurea" é o centro moderado entre dois polos opostos, um conceito usado para descrever um local entre duas posições, mais desejável do que um estado ou outro. É uma ideia fantástica, mas não muito prática. Idealista, mas não realista. O equilíbrio não existe.

Isso é difícil de conceber e mais ainda de acreditar, principalmente porque uma das reclamações mais frequentes que se ouve é "preciso de mais equilíbrio", um mantra comum para o que falta à vida da maioria das pessoas. Ouvimos falar tanto no equilíbrio que presumimos que é exatamente isso que devemos buscar. Não é. Propósito, sentido e significado – essas são as coisas que levam a uma vida realizada. Busque-as e você certamente viverá sem equilíbrio, oscilando para um lado e para o outro de uma linha média enquanto realiza suas prioridades. Levar uma vida plena dando tempo ao que é importante é um ato de oscilação. Resultados extraordinários exigem atenção concentrada e tempo. Tempo dedicado a uma coisa significa tempo tirado de outra. Isso torna impossível o equilíbrio.

A GÊNESE DE UM MITO

Historicamente, equilibrar a vida é um privilégio muito recente. Durante milênios, o trabalho era a vida. Se você não trabalhasse (caçasse, plantasse ou criasse animais), não vivia muito. Mas as coisas mudaram. O livro que deu o Prêmio Pulitzer a Jared Diamond, *Guns, Germs, and Steel: The Fates of Human Societies* (Armas, germes e aço: Os destinos das sociedades humanas), ilustra como as sociedades agrícolas que geraram um excedente de comida acabaram por produzir a especialização profissional. "Há 12 mil anos, todos na Terra eram caçadores-coletores; agora quase todos somos agricultores ou então somos alimentados por agricultores." A desobrigação de coletar ou plantar permitiu que as pessoas se tornassem eruditas e artesãs. Algumas trabalhavam para colocar comida na nossa mesa, enquanto outras construíam as mesas.

A princípio, a maioria das pessoas trabalhava de acordo com suas necessidades e ambições. O ferreiro não precisava ficar na forja até as cinco da tarde, podia ir para casa quando o cavalo estivesse com as ferraduras. Até que a industrialização do século XIX colocou pela primeira vez um grande número de pessoas trabalhando para outras. A história passou a ser de chefes autoritários, trabalho o ano inteiro e fábricas iluminadas artificialmente que ignoravam o amanhecer e o crepúsculo. O século XX testemunhou o início de significativos movimentos de base para proteger os trabalhadores e limitar as horas de trabalho.

Mesmo assim, o conceito de "equilíbrio entre trabalho e vida pessoal" surgiu apenas em meados da década de 1980, quando mais de metade de todas as mulheres casadas estava incorporada à força de trabalho. Parafraseando o prefácio de Ralph E. Gomory para o livro *Being Together, Working Apart: Dual Career Families and the Work-Life Balance* (Vivendo juntos, trabalhando separados: Famílias com duas carreiras e o equilíbrio entre trabalho e vida pessoal), de 2005, passamos de uma unidade familiar com um provedor e uma dona de casa para uma família com dois provedores e nenhum dono de casa. Qualquer pessoa capaz de pensar sabe quem ficou com todo o trabalho extra no início, mas, na década de 1990, o tal equilíbrio tinha ganhado apelo também entre os homens. Uma pesquisa da LexisNexis sobre os 100 principais jornais e revistas de todo o mundo mostra um aumento dramático no número de artigos sobre esse tema, passando de 32 entre 1986 e 1996 até chegar a 1.674 somente em 2007 (ver figura 9).

Provavelmente não é coincidência que a ascensão da tecnologia aconteça em paralelo com a ascensão da crença de que falta alguma coisa na nossa vida. A invasão do espaço e um número menor de limites acabam criando isso. Enraizada em desafios da vida real, a ideia de "equilíbrio entre trabalho e vida pessoal" obviamente capturou nossa mente e nossa imaginação.

MÁ GESTÃO DO CENTRO

O desejo de equilíbrio faz sentido. Ter tempo suficiente para tudo e fazer tudo no tempo certo – isso é tão atraente que só de pensar ficamos serenos e pacíficos. Essa calma é

FIG. 9 O número de vezes que "equilíbrio entre trabalho e vida pessoal" é mencionado em artigos de jornais e revistas explodiu nos últimos anos.

tão real que simplesmente sabemos que a vida deveria ser assim. Mas não é.

Se você pensa no equilíbrio como o ponto médio, estar desequilibrado é quando você fica longe dele. Se você se afasta demais do centro, está vivendo nos extremos. O problema de viver no centro é que isso nos impede de assumir compromissos extraordinários com qualquer coisa. No esforço de cuidar de tudo, tudo é malfeito e nada recebe a atenção devida.

Às vezes isso é bom, às vezes não. Saber quando buscar o centro e quando buscar os extremos é, em essência, o verdadeiro início da sabedoria. Resultados extraordinários são alcançados graças a essa negociação com o seu tempo.

O motivo para não buscarmos o equilíbrio é que a magia jamais acontece no centro; a magia acontece nos extremos.

TRABALHO E VIDA PESSOAL NO CENTRO

FIG. 10 Buscar uma vida equilibrada significa jamais realizar nada nos extremos.

O dilema é que perseguir os extremos implica verdadeiros desafios. Entendemos naturalmente que o sucesso está nas bordas externas, mas não sabemos gerenciar nossa vida quando estamos lá.

Quando trabalhamos por tempo demais, nossa vida pessoal é prejudicada. Presos à crença de que trabalhar muitas horas é algo virtuoso, cometemos a injustiça de culpar o trabalho quando dizemos "Não tenho vida". Geralmente é o oposto. Nossa vida pessoal pode ser tão cheia de obrigações que chegamos de novo à mesma conclusão derrotada: "Não tenho vida." E às vezes, ainda, somos golpeados pelos dois lados. Alguns enfrentam tantas exigências pessoais e profissionais que tudo acaba prejudicado. À beira de um colapso, declaramos de novo: "Não tenho vida!"

TRABALHO E VIDA PESSOAL NOS EXTREMOS

FIG. 11 Buscar os extremos provoca toda uma variedade de problemas.

O EQUILÍBRIO COMO IDEAL 85

Assim como jogar apenas no meio, jogar nos extremos é o tipo de má gestão do centro que acontece o tempo todo.

O TEMPO NÃO PARA

Uma vez minha esposa me contou a história de uma amiga dela cuja mãe era professora e o pai, agricultor. Eles tinham se privado de quase tudo e poupado durante toda a vida para viajar quando se aposentassem. A mulher se lembrava com carinho das compras regulares que ela e a mãe faziam na loja de tecidos, onde escolhiam estampas e moldes. A mãe explicava que, quando se aposentasse, aquelas seriam suas roupas de viagem.

Ela nunca se aposentou. No último ano de trabalho como professora, teve câncer e morreu. O pai nunca se sentiu à vontade para gastar o dinheiro que tinham poupado, acreditando que era "dos dois", e agora ela não estava mais presente para compartilhá-lo. Quando o pai faleceu e a amiga da minha esposa foi limpar a casa dele, descobriu um armário cheio de tecidos e moldes. O pai nunca havia mexido ali. Não conseguia. Aquilo tinha uma carga simbólica forte demais. Era como se o conteúdo estivesse tão cheio de promessas não cumpridas que chegava a ficar pesado, impossível de ser levantado.

O tempo não espera ninguém. Se levarmos alguma coisa ao extremo, o adiamento pode se tornar permanente.

Conheci um empresário muito bem-sucedido que durante a maior parte da vida tinha trabalhado horas extras e nos fins de semana, acreditando sinceramente que fazia tudo isso pela família. Algum dia, quando ele terminasse, todos aproveitariam os frutos do seu trabalho, passariam tempo juntos, viajariam e fariam todas as coisas que jamais tinham feito. Depois de dedicar muitos anos à sua empresa, ele a vendeu e pôs-se a refletir sobre o que fazer em seguida. Perguntei como ele estava e ele proclamou, com orgulho, que estava bem. "Enquanto eu me dedicava à empresa, nunca ficava em casa e raramente via minha família. Agora estou de férias com eles, compensando o tempo perdido. Sabe como é, não sabe? Agora que tenho tempo e dinheiro, vou recuperar aqueles anos."

Você acha realmente que pode recuperar uma história contada para um filho dormir ou um aniversário? Uma festa para uma criança de 5 anos que tem amigos imaginários é a mesma coisa que um jantar com um adolescente que tem amigos do ensino médio? Um adulto indo a um jogo de futebol do filho pequeno se compara a ir a um jogo com um filho adulto? Você acha que pode fazer um trato com Deus para o tempo ficar parado, segurando tudo que é importante, até você poder voltar a viver?

Quando você joga com o tempo, pode acabar não tendo como bancar a aposta. Mesmo se tiver certeza de que pode ganhar, pense se é capaz de viver com o que terá perdido.

Brincar com o tempo pode jogar você em areia movediça. Acreditar nessa mentira de que é possível recuperar o tempo perdido é prejudicial porque convence você a fazer coisas que não deveria e o impede de fazer coisas que deveria. A má gestão do centro é uma das coisas mais perigosas que existem. Não se pode ignorar a inevitabilidade do tempo.

Bem, se o equilíbrio é uma mentira, o que fazer? Contrabalançar.

Substitua a palavra "equilibrar" por "contrabalançar" e tudo passa a fazer sentido. As coisas que presumimos ter equilíbrio estão, na verdade, apenas fazendo um contrabalanço. A bailarina é um exemplo clássico: quando ela está *en pointe*, na ponta dos pés, pode parecer que não tem peso, que está flutuando, puro equilíbrio e graça. Mas olhe com atenção e você verá as sapatilhas vibrando rapidamente, fazendo ajustes minúsculos para permitir o aparente equilíbrio. Contrabalançar de modo bem-feito dá a ilusão de equilíbrio.

OSCILAÇÕES CURTAS E LONGAS

Quando dizemos que estamos desequilibrados, geralmente nos referimos a um sentimento de que algumas prioridades – as coisas que são importantes para nós – não estão recebendo a atenção merecida ou não estão sendo feitas. O problema é que, quando nos concentramos no que é realmente importante, sempre deixamos algo de lado. Por mais que você tente, sempre haverá coisas que deixarão de ser feitas no fim do dia, da semana, do mês, do ano e da vida. É loucura tentar fazer tudo. Quando as coisas mais importantes estão feitas, a gente continua com um sentimento de coisas por fazer – de desequilíbrio. Deixar algumas coisas sem ser feitas é um preço necessário a pagar pelos resultados extraordinários. Mas você não pode deixar tudo sem ser feito, e é aí que entra o ato de contrabalançar. A ideia é que você jamais se afaste a ponto de não encontrar o caminho de volta, nem fique longe por tanto tempo a ponto de não restar nada esperando quando você retornar.

Isso é tão importante que sua própria vida pode correr risco. Um estudo de 11 anos com quase 7.100 funcionários públicos na Inglaterra concluiu que trabalhar horas extras habitualmente pode ser letal. Os pesquisadores mostraram que as pessoas que trabalhavam mais de 11 horas por dia (mais de 55 por semana) tinham um risco 67% maior de sofrer alguma doença cardíaca. Contrabalançar não traz apenas bem-estar. É essencial para sua saúde.

CONTRABALANÇANDO TRABALHO E VIDA

FIG. 12 Resultados extraordinários no trabalho exigem períodos de oscilação mais longos.

Existem dois tipos de oscilação: aquela para contrabalançar trabalho e vida pessoal e aquela dentro de cada um dos dois. No mundo do sucesso profissional, o importante não é quanto tempo a mais você dedica a ele; o ingrediente fundamental é o tempo de foco ao longo de determinado período. Para alcançar um resultado extraordinário, você precisa escolher a coisa mais importante e dedicar a ela todo o tempo necessário. Isso implica ficar extremamente desequilibrado com relação a todas as outras questões de trabalho, com apenas algumas oscilações pouco frequentes para cuidar delas. No mundo pessoal, o ingrediente essencial é a atenção. Atenção ao espírito e ao corpo, atenção à família e aos amigos, atenção às suas necessidades pessoais – nada disso pode ser sacrificado se você pretende "ter uma vida", de modo que jamais pode abandoná-las pelo trabalho ou abandonar uma pela outra. Você pode oscilar rapidamente entre elas e até combinar as atividades relacionadas a elas,

O EQUILÍBRIO COMO IDEAL 89

mas não pode negligenciar nenhuma por muito tempo. Sua vida pessoal precisa ser muito bem contrabalançada.

Na verdade, a questão não é se desequilibrar ou não. A questão é: "A oscilação deve ser curta ou longa?" Na vida pessoal, evite períodos longos em desequilíbrio. Períodos curtos permitem que você permaneça conectado com todas as coisas mais importantes e faça com que avancem juntas. Já na vida profissional, vá mais longe em cada oscilação e faça as pazes com a ideia de que a busca por resultados extraordinários pode exigir que você fique desequilibrado por períodos longos. Ir mais longe permite que você se concentre no que é mais importante, mesmo que às custas de outras prioridades menos significativas. Na vida pessoal, nada deve ser deixado para trás. No trabalho, isso é necessário.

Em seu romance *O diário de Suzana para Nicolas*, James Patterson enfatiza habilmente onde estão nossas prioridades no nosso show de equilibrismo pessoal e profissional:

"Imagine que a vida é um jogo em que você está fazendo malabarismo com cinco bolas. As bolas se chamam trabalho, família, saúde, amigos e integridade. E você está mantendo todas no ar. Mas um dia você finalmente entende que o trabalho é uma bola de borracha. Se você a larga, ela quica de volta. As outras quatro bolas (família, saúde, amigos, integridade) são feitas de vidro. Se você largar uma, ela será arranhada, lascada ou talvez até mesmo despedaçada, sem chance de conserto."

A VIDA É UM SHOW DE EQUILIBRISMO

A questão do equilíbrio é uma questão de prioridade. Quando você muda a linguagem, de equilibrar para priorizar, passa a enxergar suas escolhas com mais clareza e abre as portas para a mudança. Resultados extraordinários exigem que você estabeleça uma prioridade e aja de acordo. Quando age de acordo com a prioridade, você automaticamente se desequilibra, dando mais tempo para uma coisa em detrimento de outra. Então, o desafio não é não se desequilibrar, pois na verdade o desequilíbrio é necessário; o desafio é quanto tempo você permanece na sua prioridade. É ser capaz de dar atenção às suas prioridades fora do trabalho, ter clareza com relação à sua maior prioridade no trabalho para poder realizá-la. Ao chegar em casa, tenha clareza com relação às suas prioridades lá, de modo a poder voltar para o trabalho.

Quando for hora de trabalhar, trabalhe, e quando for hora de se divertir, divirta-se. Nós andamos numa corda bamba estranha, mas só caímos quando perdemos de vista nossas prioridades.

GRANDES IDEIAS

1. **Pense em dois baldes se equilibrando.** Separe sua vida profissional e sua vida pessoal em dois baldes diferentes – não para compartimentá-las, só para contrabalançá-las. Cada qual tem seus próprios objetivos e táticas de compensações.
2. **Contrabalance seu balde do trabalho.** Veja o trabalho como algo que implica uma habilidade ou um conhecimento que precisa ser dominado. Isso fará com que você dedique um tempo desproporcional à sua Única Coisa e vai desequilibrar continuamente o resto do seu dia, da sua semana, do seu mês e do seu ano de trabalho. Sua vida profissional é dividida em duas áreas distintas: o mais importante e todo o resto. Você precisará levar ao extremo o

que é importante e aceitar o que acontece com o resto. O sucesso profissional exige isso.
3. **Contrabalance seu balde da vida pessoal.** Admita que sua vida tem múltiplas áreas e que cada uma delas exige um mínimo de atenção para você sentir que "tem uma vida". Se deixar qualquer uma delas cair, você vai sentir os efeitos. Isso exige atenção constante. Você jamais poderá se afastar por muito tempo ou até muito longe sem oscilar de volta, para manter todas as áreas da sua vida ativas. A vida pessoal exige isso.

Comece a levar uma vida contrabalançada. Permita que as coisas certas tenham precedência quando necessário e deixe o resto para quando for possível.

Uma vida extraordinária é um show de equilibrismo.

PENSAR GRANDE É RUIM 9

A ideia de que o grande e o ruim andam juntos tem sido um tema comum ao longo da história – a ponto de muitas pessoas acharem que são sinônimos. Não são. O *grande* pode ser ruim e o *ruim* pode ser grande, mas não são a mesma coisa. Não há uma relação inerente entre os dois.

Uma grande oportunidade é melhor do que uma pequena, mas um problema pequeno é melhor do que um grande. Às vezes a gente quer o maior presente que está embaixo da árvore de Natal, e às vezes quer o menor. Muitas vezes só precisamos de uma grande risada ou um grande choro,

> "Somos afastados do nosso objetivo não por obstáculos, e sim por um caminho livre para um objetivo inferior."
>
> – Robert Brault

e muitas vezes um risinho e umas poucas lágrimas dão conta do recado.

<u>É mentira que pensar grande é ruim.</u>

Talvez seja a maior mentira de todas, porque, se você tiver medo, o grande sucesso vai fugir de você ou sabotar seus esforços para alcançá-lo.

QUEM TEM MEDO DO GRANDE E MAU?

Fale em "grandes resultados" e muitas pessoas vão tremer na base. Mencione "grandes realizações" e os primeiros pensamentos das pessoas serão *difícil, complicado* e *demorado*. Um resumo do ponto de vista delas: *É difícil chegar lá e é complexo depois que você chega.* Elas têm a sensação de algo *esmagador e intimidante.* Por algum motivo, existe o medo de que o grande sucesso traga uma pressão esmagadora e estresse, que a busca do sucesso roube não somente o tempo com a família e os amigos, mas até mesmo a saúde. Sem a certeza de que têm o direito de alcançar coisas grandes ou com medo do que pode acontecer se tentarem e não alcançarem, essas pessoas ficam atarantadas só de pensar nisso e duvidam imediatamente se têm condição de encarar a altitude.

Tudo isso reforça um incômodo com a simples ideia do grande. Inventando uma palavra, podemos chamar esse problema de *megafobia*: o medo irracional do grande.

Quando associamos algo grande a algo ruim, acionamos um pensamento que reduz. Nos sentimos mais seguros se não voarmos muito alto. Parece prudente permanecer no mesmo lugar. Mas a verdade é o oposto: quando acreditamos que sonhar alto é ruim, ficamos presos a pensar pequeno e os feitos grandiosos acabam murchando.

REDONDAMENTE ERRADO

Quantos navios deixaram de zarpar devido à crença de que a Terra era plana? Quanto progresso foi impedido porque o homem jamais conseguiria respirar embaixo d'água, voar ou se aventurar no espaço sideral? Historicamente, sempre fomos muito ruins em avaliar nossos limites. A boa notícia é que ciência não é suposição, e sim a arte de progredir.

Sua vida também.

Nenhum de nós conhece os próprios limites. As fronteiras podem ser claras num mapa, mas, quando as aplicamos à vida, as linhas não ficam tão evidentes. Uma vez me perguntaram se eu achava que pensar grande era algo realista. Parei para refletir e disse: "Primeiro me deixe fazer uma pergunta: Você sabe quais são os seus limites?" A resposta foi "Não". E eu disse que pelo jeito a pergunta era irrelevante. <u>Ninguém sabe qual é o seu teto definitivo</u> para a realização, de modo que se preocupar com isso é perda de tempo. E se alguém lhe dissesse que você jamais poderia chegar acima de um determinado nível? Que você precisa escolher um limite superior que jamais será superado? O que você escolheria: um nível baixo ou alto? Acho que sabemos a resposta. Nessa situação, todos faríamos a mesma coisa: escolheríamos o mais alto de todos. Por quê? Porque ninguém quer se limitar.

Quando você se permite aceitar que pensar grande determina o que você pode ser, passa a encarar isso de outro modo.

Nesse contexto, pensar grande é um trampolim para o que você pode chamar de salto de possibilidade. É o estagiário visualizando a sala da diretoria ou um imigrante sem um tostão imaginando um negócio revolucionário. Ideias ousadas podem ameaçar suas zonas de conforto, mas, por outro lado, refletem suas maiores oportunidades. Acreditar em coisas grandiosas liberta você para fazer perguntas diferentes, seguir outros caminhos e tentar coisas novas. Isso abre as portas para possibilidades que até então viviam apenas dentro de você.

Sabeer Bathia chegou aos Estados Unidos com apenas 250 dólares no bolso, mas não estava sozinho. Veio com grandes planos e a crença de que poderia construir uma empresa e fazê-la crescer mais rápido do que qualquer outra na história. E fez isso. Criou a Hotmail. A Microsoft, testemunha da ascensão meteórica da Hotmail, acabou comprando-a por 400 milhões de dólares.

Segundo seu mentor, Farouk Arjani, o sucesso de Sabeer estava relacionado diretamente com sua capacidade de pensar grande. "O que separava Sabeer das centenas de empreendedores que eu conheci era o tamanho gigantesco do seu sonho. Mesmo antes de ter um produto, antes de ter dinheiro de investidores, ele estava totalmente convencido de que criaria uma empresa importante que valeria centenas de milhões de dólares. Tinha uma convicção implacável de que não iria somente criar uma empresa comum do Vale do Silício. Mas, com o tempo, eu percebi que, caramba, ele ia conseguir."

Em 2011, a Hotmail já era um dos provedores de e-mail mais bem-sucedidos do mundo, com mais de 360 milhões de usuários ativos.

PENSANDO GRANDE

Pensar grande é essencial para obter resultados extraordinários. O sucesso exige ação, e a ação exige pensamento. Mas fique atento: <u>as únicas ações que se tornam trampolins para o grande sucesso são aquelas motivadas pelo pensar grande</u>. Quando você perceber essa conexão, a importância de pensar grande vai começar a ficar evidente.

Todo mundo tem a mesma quantidade de tempo, e esforço é simplesmente esforço. Ou seja, o que você faz no tempo em que trabalha determina o que você alcança. E como o que você faz é determinado pelo que você pensa, o tamanho do seu pensamento se torna a plataforma de lançamento para a altura que você alcançará.

Pense do seguinte modo: cada nível de realização exige sua própria combinação de o que você faz, como faz e com quem faz. O problema é que a combinação que o leva a um nível do sucesso não evoluirá naturalmente até uma combinação melhor que o levará ao próximo nível do sucesso. Fazer uma coisa de determinado modo nem sempre cria alicerces para algo melhor, assim como o relacionamento com

FIG. 13 O pensamento determina as ações e as ações determinam os resultados.

PENSAR GRANDE É RUIM 97

uma pessoa não estabelece naturalmente o cenário para um relacionamento melhor com outra. É uma pena, mas essas coisas não evoluem uma a partir da outra. Se você aprende a fazer uma coisa de um modo e com certos relacionamentos, pode funcionar bem até que você deseje realizar mais. E aí vai descobrir que criou um teto artificial de realização para si mesmo, e esse teto pode ser muito difícil de ser rompido. Na verdade, você acabou se trancando numa caixa, quando há um modo simples de evitar isso. Pense o "mais grande" que puder e, a partir da meta de sucesso nesse nível, baseie nela o que você faz, como faz e com quem faz. Talvez você demore mais do que o seu tempo de vida para esbarrar nas paredes de uma caixa tão grande.

QUAL É O TAMANHO DA SUA CAIXA?

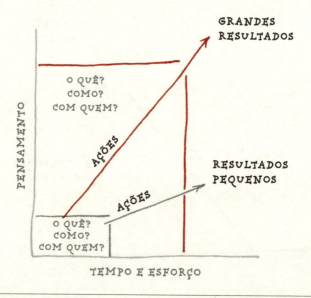

FIG. 14 Escolha sua caixa, escolha seus resultados.

Quando as pessoas falam em se "reinventar", seja na carreira ou no negócio próprio, geralmente a causa básica são caixas pequenas. <u>O que você constrói hoje vai ou te fortalecer ou te restringir amanhã</u>. Servirá como plataforma para o próximo nível do seu sucesso ou como uma caixa, prendendo-o onde você está.

O grande lhe dá a melhor chance de obter resultados extraordinários hoje e amanhã. Quando Arthur Guinness abriu sua primeira cervejaria, ele assinou um contrato de 9 mil anos. Quando J. K. Rowling concebeu Harry Potter, pensou grande e visualizou sete anos em Hogwarts antes de escrever o primeiro capítulo do primeiro de sete livros. Antes de inaugurar o primeiro Wal-Mart, Sam Walton visualizou uma empresa tão grande que sentiu necessidade de estabelecer um planejamento para seus bens futuros de modo a minimizar os impostos sobre a herança. Ao pensar grande muito antes de realizar grande, ele pôde economizar para sua família entre 11 e 13 bilhões de dólares em impostos. Transferir a riqueza de uma das maiores empresas já criadas com o mínimo de impostos possível exige pensar grande desde o início.

Pensar grande não afeta apenas os negócios. Candace Lightner fundou a Mothers Against Drunk Driving (Mães Contra a Direção Alcoolizada) em 1980 depois de sua filha ser morta num acidente causado por um motorista bêbado. Hoje, a MADD já salvou cerca de 400 mil vidas. Em 1988, quando tinha 6 anos, Ryan Hreljac se sentiu inspirado a ajudar a levar água limpa para a África, a partir de histórias contadas por sua professora. Hoje, sua fun-

> "Um degrau de escada não é um local de descanso, mas um apoio para a pessoa deixar um dos pés enquanto coloca o outro no degrau acima."
>
> – *Thomas Henry Huxley*

PENSAR GRANDE É RUIM 99

dação, a Ryan's Well, já melhorou as condições de vida e ajudou a levar água limpa a quase 1 milhão de pessoas em 16 países. Derreck Kayongo reconheceu o desperdício e o valor oculto nos sabonetes trocados todos os dias nos hotéis. Assim, em 2009 ele criou o Global Soap Project (Projeto Global de Sabonetes), que forneceu mais de 250 mil sabonetes em 21 países, ajudando a combater a mortalidade infantil simplesmente por dar aos pobres a chance de lavar as mãos.

Fazer perguntas grandes pode intimidar. A princípio, os objetivos grandes podem parecer inalcançáveis. Mas quantas vezes você decidiu fazer algo que parecia muito difícil e acabou descobrindo que era muito mais fácil do que imaginava? Às vezes as coisas são mais fáceis do que imaginamos. E, para ser honesto, às vezes elas são muito mais difíceis. Por isso é importante perceber que, na jornada para grandes realizações, você também cresce. Grandes feitos exigem crescimento, e quando você chegar lá estará grande também! O que de longe parecia uma montanha intransponível é apenas um morrinho quando você chega – pelo menos em relação à pessoa que se tornou. Seu pensamento, suas capacidades, seus relacionamentos, seu sentimento do que é possível e do que é necessário, tudo isso cresce durante a jornada em direção ao grande.

À medida que vive grande, você se torna grande.

UM GRANDE NEGÓCIO
Durante mais de quatro décadas, Carol S. Dweck, psicóloga de Stanford, estudou como as concepções que temos a nosso respeito influenciam nossas ações. Seu trabalho proporciona um entendimento fantástico sobre por que pensar grande é um grande negócio.

O trabalho de Dweck com crianças revelou duas mentalidades (ou mindsets) em ação: uma mentalidade de "crescimento", que geralmente pensa grande e se concentra em buscar o crescimento, e uma mentalidade "fixa", que estabelece limites artificiais e se concentra em evitar o fracasso. Os estudantes com mentalidade de crescimento, como ela os chama, usam melhores estratégias de aprendizagem, experimentam menos sensação de desamparo, exibem mais esforço positivo e têm melhores resultados em sala de aula do que seus colegas com mentalidade fixa. Têm menos probabilidade de estabelecer limites à própria vida e mais probabilidade de alcançar seu potencial. Dweck observa que as mentalidades podem mudar, e mudam. Como qualquer outro hábito, você se dedica a isso até que a mentalidade correta se transforme em rotina.

Quando começou a recrutar talentos para sua equipe recém-formada, Scott Forstall alertou que o projeto altamente secreto daria grandes oportunidades para "cometer erros e se esfalfar, mas poderemos fazer alguma coisa da qual vamos lembrar pelo resto da vida". Ele fez esse discurso curioso para funcionários de destaque na empresa, mas só pegou aqueles que aceitaram *imediatamente* o desafio. Estava procurando pessoas com "mentalidade de crescimento", como contou mais tarde a Dweck depois de ler o livro dela. Por que isso é significativo? Ainda que você provavelmente jamais tenha ouvido falar em Forstall, certamente ouviu falar do que sua equipe criou. Forstall foi um vice-presidente sênior da Apple, e a equipe montada por ele criou o iPhone.

EXPANDINDO SUA VIDA

Pensar grande leva à grandiosidade – a resultados extraordinários. Busque uma vida grandiosa e você estará buscando a vida mais extraordinária que poderá viver. Para viver de modo grandioso, você precisa pensar grande. Precisa estar aberto à possibilidade de que sua vida e o que você realiza podem se tornar grandiosos. A realização e a abundância surgem porque são resultados naturais de fazer as coisas certas sem limitação.

Não tenha medo do grande. Tenha medo da mediocridade. Tenha medo do desperdício. Tenha medo de não viver plenamente. Quando sentimos medo do grande, trabalhamos, consciente ou inconscientemente, contra ele. Corremos na direção de resultados e oportunidades menores ou simplesmente fugimos dos grandes. Se a coragem não é a ausência de medo, e sim a capacidade de ultrapassá-lo, pensar grande não é a ausência de dúvidas, e sim a capacidade de ultrapassá-las. Viver grande é a única maneira de alcançar seu verdadeiro potencial pessoal e profissional.

GRANDES IDEIAS

1. **Pense grande.** Evite o tipo de pensamento incremental, que simplesmente pergunta: "Qual o próximo passo?" Esse é, na melhor das hipóteses, o caminho modesto para o sucesso e, na pior, o caminho para o fracasso. Faça perguntas maiores. Uma boa regra é dobrar tudo. Se o seu objetivo é 10, pense: "Como posso chegar a 20?" Ao estabelecer um objetivo tão acima do que você de fato quer, você estará criando um plano que praticamente garante seu verdadeiro objetivo.

2. **Não peça o que está no cardápio.** A célebre campanha publicitária "Pense Diferente", veiculada pela Apple em 1997, mostrava ícones como Muhammad Ali, Bob Dylan, Albert Einstein, Alfred Hitchcock, Pablo Picasso, Gandhi e outras pessoas célebres que "viam as coisas de modo di-

ferente" e que transformaram o mundo que conhecemos. O argumento era que eles não escolheram a partir das opções disponíveis; eles imaginavam resultados que ninguém mais tinha pensado. Ignoravam o cardápio e pediam suas próprias criações. Como o anúncio lembra, "as pessoas que são loucas de achar que podem mudar o mundo são as únicas que o mudam".

3. **Aja com ousadia.** Os grandes pensamentos não chegam a lugar nenhum sem ação ousada. Assim que você fizer uma pergunta grande, pare para imaginar como seria a vida com a resposta. Se ainda não conseguir imaginá-la, estude pessoas que já alcançaram isso. Quais são os modelos, os sistemas, os hábitos e os relacionamentos de outras pessoas que encontraram a resposta? Por mais que gostemos de acreditar que somos todos diferentes, o que funciona de modo consistente para os outros quase sempre funciona para nós.

4. **Não tenha medo do fracasso.** Ele faz parte da sua jornada rumo aos resultados extraordinários tanto quanto o sucesso. Adote uma mentalidade de crescimento e não tenha medo de aonde ela pode levá-lo. O sucesso não se baseia apenas em resultados extraordinários. Também se baseia no fracasso. De fato, seria exato dizer que com os fracassos abrimos o caminho do sucesso. Quando fracassamos, nós paramos e perguntamos o que fazer para ter sucesso, aprendemos com os erros e crescemos. Não tenha medo de fracassar. Veja isso como parte do processo de aprendizagem e continue em busca do seu verdadeiro potencial.

Não se deixe reduzir pelo pensamento pequeno. Pense grande, sonhe alto e aja com ousadia. E veja como sua vida será grandiosa.

A VERDADE
O CAMINHO SIMPLES PARA A PRODUTIVIDADE

> "Tenha cuidado com a sua interpretação do mundo; ele é assim."
>
> – Erich Heller

DISTENSIONANDO

Eu sofri durante muitos anos tentando viver as mentiras do sucesso.

Comecei minha carreira profissional acreditando que todas as coisas tinham importância igual. Num esforço para amontoar tudo, tentava fazer coisas demais ao mesmo tempo. Frustrado, comecei a duvidar que tivesse disciplina ou força de vontade suficientes. À medida que minha vida se desequilibrava, comecei a considerar que a tentativa de levar uma vida grandiosa poderia ser algo ruim. Quando você tenta viver com expectativas impossíveis, pode acabar bastante deprimido.

Eu estava bastante deprimido.

Na tentativa de fazer com que tudo funcionasse, comecei a pegar mais pesado ainda. Pode-se dizer que comecei a tensionar o caminho do sucesso. Realmente fiz isso. Achava que talvez fosse o modo certo de passar pela vida – com o maxilar tensionado, o punho tensionado, a barriga tensionada e o traseiro tensionado. Inclinado para a frente, com a respiração presa e o corpo rígido, retesado e completamente tenso. Simplesmente achava que esse era o sentimento de foco e intensidade enquanto lutava para viver com as mentiras. Até funcionou, mas também me fez parar no hospital.

Também comecei a achar que era preciso falar como alguém de sucesso, andar como alguém de sucesso e até me vestir para o sucesso. Aquele não era eu, mas eu estava aberto a qualquer maneira de fazer as coisas funcionarem, por isso levei a sério a sugestão de que a gente deve projetar o que deseja ser. Essa abordagem também funcionou, mas depois de um tempo simplesmente fiquei cansado de "representar" o sucesso.

Comprei a ideia de me levantar antes do amanhecer, me animar ouvindo músicas inspiradoras e entrar em movimento antes de todo mundo. Na verdade, fiquei tão cheio desse tipo de pensamento que ia para o escritório enquanto o resto do mundo dormia e me sentava à mesa só para garantir que começava a trabalhar antes de todas as outras pessoas. Comecei a aceitar a ideia de que talvez essa fosse a aparência da ambição e da realização enquanto travava o bom combate. Marcava reuniões para as 7h30 e às 7h31 trancava a porta, deixando de fora qualquer um que se atrasasse. Estava passando dos limites, mas começava a acreditar que esse era o único modo de alcançar o sucesso e que era o modo de pressionar os outros para obter sucesso também. Essa abordagem também funcionou, mas a verdade é que ela me pressionou demais, pressionou os outros demais e empurrou o meu mundo pela borda do precipício.

Eu estava realmente começando a achar que o segredo do sucesso era dar o máximo de corda possível a mim mesmo a cada manhã, acender meu pavio, abrir a porta e voar pelo resto do dia, partindo pelo mundo até literalmente queimar todo o combustível.

E aonde isso tudo me levou? Me levou ao sucesso e me deixou doente. Depois de um tempo, me deixou enojado do sucesso.

Então o que fiz? Abandonei as mentiras e fui na direção oposta. Entrei para os Superbem-Sucedidos Anônimos e parti contra o establishment e todas as "táticas" que supostamente levavam ao sucesso.

Primeiro de tudo, distensionei. Comecei a ouvir meu corpo, diminuí o ritmo e relaxei. Em seguida comecei a usar camisetas e jeans no trabalho e desafiava todo mundo a comentar. Abandonei a linguagem e a pose e voltei a ser apenas eu mesmo. Tomava o café da manhã com minha família. Entrei em forma, física e espiritualmente, e permaneci assim. E comecei a fazer menos. É, menos. Intencionalmente, objetivamente menos. Estava mais solto do que nunca, mais à vontade do que nunca, e respirando. Questionei os axiomas do sucesso, e adivinhe só: me tornei mais bem-sucedido do que jamais tinha sonhado que era possível e me senti melhor do que nunca.

Descobri o seguinte: que a gente pensa demais, planeja demais e analisa demais nossas carreiras, nossos negócios e nossa vida; que trabalhar horas extras não é virtuoso nem saudável; e que geralmente temos sucesso *apesar* da maior parte das coisas que fazemos, e não *por causa* delas. Descobri que não podemos administrar o tempo e que a chave para o sucesso não está em todas as coisas que fazemos, e sim no punhado de coisas que fazemos bem.

Aprendi que o sucesso é aquilo que se encaixa com perfeição naquele momento da sua vida. Se você puder dizer honestamente "É aqui que eu devo estar neste momento, fazendo exatamente o que estou fazendo", todas as possibilidades incríveis para a sua vida se tornam possíveis.

Acima de tudo, aprendi que a Única Coisa é a verdade surpreendentemente simples por trás dos resultados extraordinários.

10 A PERGUNTA DE FOCO

"Existe uma arte em retirar o entulho e se concentrar no que é mais importante. Ela é simples e transferível. Só exige a coragem de assumir uma estratégia diferente."

– George Anders

Em 23 de junho de 1885, na cidade americana de Pittsburgh, Pensilvânia, Andrew Carnegie falou aos alunos da Curry Commercial College.

No auge do seu sucesso empresarial, a Carnegie Steel Company era a maior e mais lucrativa empresa do mundo. Mais tarde, Carnegie iria se tornar o segundo homem mais rico de toda a história, atrás apenas de John D. Rockefeller. No discurso de Carnegie, intitulado "A estrada para o sucesso nos negócios", ele falou de sua vida como empresário bem-sucedido e deu o seguinte conselho:

Esta é a principal condição para o sucesso, o grande segredo: concentre sua energia, seu pensamento e seu capital exclusivamente no negócio em que você está engajado. Depois de ter começado numa linha de atuação, decidido lutar nessa linha e continuar seguindo por ela, adote todas as melhorias, tenha o melhor maquinário e conheça o máximo possível sobre ela. As empresas que fracassam são as que espalharam o capital, o que significa que também espalharam os cérebros. Elas têm investimento nisto, naquilo e em outra coisa, aqui, ali e em todo lugar. O ditado "Não ponha todos os seus ovos num único cesto" está errado. Eu digo: "Coloque todos os seus ovos num único cesto e vigie o cesto." Olhe em volta e veja: isso não costuma dar errado. É fácil vigiar e carregar um cesto. É a tentativa de carregar cestos demais que quebra a maioria dos ovos neste país.

Mas, afinal, como saber que cesto escolher? Com a Pergunta de Foco.

Mark Twain concordava com Carnegie e descrevia a questão do seguinte modo:

> O segredo de avançar é começar. O segredo de começar é dividir as tarefas complexas e esmagadoras em tarefas pequenas e administráveis e começar pela primeira.

E como saber qual deve ser a primeira? Com a Pergunta de Foco.

Você notou que esses dois grandes homens consideravam que seu conselho era um "segredo"? Não creio que seja exatamente um segredo, e sim uma coisa que as pessoas sabem mas à qual não dão o peso e a importância devidos.

A maioria das pessoas conhece o provérbio chinês "Uma viagem de mil quilômetros deve começar com um único passo". Mas elas não param para apreciar totalmente que, se isso é verdade, o primeiro passo errado inicia uma jornada que pode terminar a dois mil quilômetros do destino pretendido. A Pergunta de Foco ajuda a fazer com que o primeiro passo não seja um tropeço.

A VIDA É UMA PERGUNTA

Você pode estar perguntando: "Por que nos concentrarmos numa pergunta quando o que realmente queremos é uma resposta?" Simples: as respostas resultam das perguntas, e a qualidade de uma resposta é determinada diretamente pela qualidade da pergunta. Faça a pergunta errada e você receberá a resposta errada. Faça a pergunta certa e tenha a resposta certa. Faça a pergunta mais poderosa possível e a resposta pode alterar sua vida.

Voltaire escreveu: "Julgue um homem por suas perguntas, e não por suas respostas." Sir Francis Bacon acrescentou: "Uma pergunta prudente é metade da sabedoria." Indira Ghandi concluiu que "o poder de perguntar é a base de todo o progresso humano". Grandes perguntas são claramente o caminho mais rápido para grandes respostas. Todo descobridor e inventor começa sua busca com uma pergunta transformadora. O método científico faz perguntas sobre o universo na forma de hipóteses. O método socrático, com mais de 2 mil anos, ensinando através de perguntas, ainda é usado por educadores que vão desde a Faculdade de Direito de Harvard até uma turma de jardim de infância. As perguntas instigam nosso pensamento crítico. Pesquisas mostram que fazer perguntas aumenta a aprendizagem e o desempenho em até 150%. No fim das contas é difícil questionar a escritora Nancy Willard, que escreveu: "Às vezes as perguntas são mais importantes do que as respostas."

Eu percebi pela primeira vez o poder das perguntas quando era jovem. Li um poema que me marcou profundamente, e desde então ando sempre com ele:

MEU SALÁRIO

J. B. Rittenhouse

Negociei um tostão com a Vida,
E era só isso que ela me pagava,
Por mais que eu implorasse à noite
quando minhas parcas reservas contava.

Porque a Vida é um patrão justo,
Ele dá o que a gente pedir.
Mas assim que combina o salário,
Com o serviço você precisa cumprir.

Trabalhei por um ganho servil
Só para descobrir, consternado,
Que qualquer salário que eu pedisse,
A Vida pagaria de bom grado.

Os últimos dois versos merecem ser repetidos: "... qualquer salário que eu pedisse, a Vida pagaria de bom grado". Um dos momentos mais fortalecedores da minha vida aconteceu quando percebi que a vida é uma pergunta e que o modo como vivemos é a nossa resposta. O modo como verbalizamos as perguntas que fazemos a nós mesmos determina as respostas que acabam se transformando na nossa vida.

O desafio é que a pergunta certa nem sempre é tão óbvia. A maioria das coisas que desejamos não vem com um mapa rodoviário ou um manual de instruções, de modo que pode ser difícil fazer a pergunta certa. A clareza precisa vir de nós. Parece que devemos visualizar nossas próprias jornadas, fazer nossos próprios mapas e criar nossas próprias bússolas. Para obter as respostas que buscamos, precisamos elaborar as perguntas certas – e nós é que temos que fazer isso. E como fazer? Como descobrir perguntas incomuns que levam a respostas incomuns?

Fazendo uma única pergunta: a Pergunta de Foco.

Qualquer um que sonhe com uma vida incomum acaba descobrindo que não existe opção senão buscar uma abordagem incomum para vivê-la. A Pergunta de Foco é essa abordagem incomum. Num mundo onde não há instruções, ela se torna a fórmula simples para encontrar respostas excepcionais que levam a resultados extraordinários.

> Qual é a Única Coisa
> que posso fazer de modo
> que, ao fazê-la, todo o
> resto se torne mais fácil
> ou desnecessário?

A Pergunta de Foco é tão enganosamente simples que seu poder pode passar despercebido por qualquer um que não a examine com atenção. Mas isso seria um erro. A Pergunta de Foco pode levar você a responder não somente a perguntas relativas ao "quadro geral" (Para onde estou indo? Em que alvo devo mirar?), mas também a perguntas de "foco estreito" (O que devo fazer neste momento para estar no caminho em direção ao quadro geral? Onde está a mosca do alvo?). Ela diz não somente qual deve ser o seu cesto, mas também o primeiro passo para consegui-lo. Mostra como sua vida pode ser grande e como você precisa estreitar o foco para chegar lá. É um mapa para o quadro geral e uma bússola para seu próximo passo diminuto.

Raramente os resultados extraordinários acontecem por acaso. Eles resultam das escolhas que fazemos e das ações que executamos. A Pergunta de Foco sempre aponta para o que é absolutamente melhor de ambas as coisas ao forçá-lo a fazer o que é essencial para o sucesso: tomar uma decisão. Mas não qualquer decisão – ela o impele a tomar a melhor decisão. Ignora o que é viável e parte para o que é necessário, para o que importa.

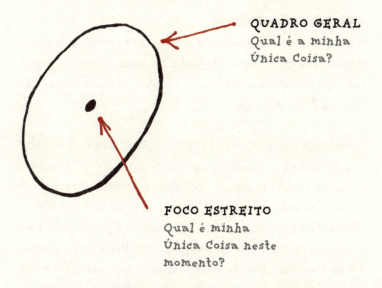

FIG. 15 A Pergunta de Foco é um mapa do quadro geral e uma bússola para o foco estreito.

Ela guia você até a primeira peça do dominó.

Para permanecer no caminho de descobrir o melhor dia, mês, ano ou carreira possível você precisa continuar fazendo a Pergunta de Foco. Faça de novo e de novo, e ela vai forçá-lo a enfileirar as tarefas em ordem de importância. Então, a cada vez que você fizer a pergunta, enxergará a prioridade seguinte. A força dessa abordagem é que você está se posicionando para realizar uma tarefa a partir de outra. Quando você faz a tarefa certa primeiro, também cria primeiro a mentalidade correta, a habilidade correta e o relacionamento correto. Com o poder da Pergunta de Foco suas ações seguem uma progressão natural de construir uma coisa certa em cima da coisa certa anterior. Quando isso acontece, você está em condições de experimentar o poder do efeito dominó.

ANATOMIA DA PERGUNTA

A Pergunta de Foco faz com que todas as perguntas possíveis se reduzam a uma: "[Qual é a Única Coisa que posso fazer] [de modo que, ao fazê-la,] [todo o resto se torne mais fácil ou desnecessário?]"

PRIMEIRA PARTE: "QUAL É A ÚNICA COISA QUE POSSO FAZER…"

Isso acende a fagulha para a ação com foco. "Qual é a Única Coisa" mostra a você que a resposta será uma só entre muitas. Força você a ir na direção de algo específico. Diz logo de cara que, embora você possa pensar em muitas opções, precisa levar essa escolha a sério, porque seu foco não são duas, três, quatro ou mais. Você não pode dividir sua aposta. Só pode escolher uma coisa.

O final dessa primeira parte, o "posso fazer", é uma ordem para você agir assim que possível. As pessoas a todo momento querem mudar isso para "deveria fazer", "poderia fazer" ou "faria", mas todas essas alternativas erram o alvo. Existem muitas coisas que deveríamos fazer, poderíamos fazer ou faríamos mas que jamais fazemos. A ação que você "pode fazer" ganha da intenção todas as vezes.

> "Mas todos esses Faria, Poderia e Deveria fugiram e se esconderam de um pequeno Fiz."
> – Shel Silverstein

SEGUNDA PARTE: "... DE MODO QUE, AO FAZÊ-LA..."
Isso lhe diz que há um critério ao qual sua resposta deve obedecer. É a ponte entre simplesmente fazer uma coisa e fazer uma coisa com um objetivo específico. "De modo que, ao fazê-la" deixa claro que você precisará mergulhar fundo, porque, quando fizer essa Única Coisa, outra coisa vai acontecer.

TERCEIRA PARTE: "... TODO O RESTO SE TORNE MAIS FÁCIL OU DESNECESSÁRIO?"
Arquimedes disse "Me dê uma alavanca e um ponto de apoio e eu moverei o mundo", e é exatamente o que essa parte manda encontrar. "Todo o resto se torne mais fácil ou desnecessário" é o definitivo teste da alavanca. Ela diz que você encontrou a primeira peça de dominó. Diz que, quando você fizer essa Única Coisa, todo o resto que poderia fazer para realizar seu objetivo será viável com menos esforço, ou nem será mais necessário. A maioria das pessoas tem dificuldade para entender quantas coisas não precisam ser feitas se elas simplesmente começarem a fazer a coisa certa. De fato, esse qualificador busca desentulhar a sua vida pedindo que você coloque antolhos. Isso eleva o potencial da resposta

para mudar sua vida fazendo a coisa mais fundamental e evitando distrações.

A Pergunta de Foco pede que você encontre o primeiro dominó e se concentre exclusivamente nele até derrubá-lo. Assim que tiver feito isso, você descobrirá uma fileira de dominós atrás, cada um deles pronto para cair ou já derrubado.

GRANDES IDEIAS

1. **Boas perguntas levam a boas respostas.** A Pergunta de Foco é um excelente questionamento destinado a encontrar uma excelente resposta. Ela vai ajudar você a identificar a primeira peça de dominó do seu trabalho, da sua empresa ou de qualquer outra área em que você deseje alcançar resultados extraordinários.
2. **A Pergunta de Foco tem duas funções.** Ela assume duas formas: quadro geral e foco estreito. Uma indica a direção certa na vida, e a outra indica a ação certa.
3. **A Pergunta do Quadro Geral: "Qual é minha Única Coisa?"** Use-a para desenvolver uma visão para sua vida e a direção para sua carreira ou empresa; ela é sua bússola estratégica. E também funciona quando você pensar no conhecimento que quer dominar, no que quer dar aos outros e à sua comunidade, e como você quer ser lembrado. Mantém em perspectiva seus relacionamentos com os amigos, a família e os colegas e mantém suas ações cotidianas nos trilhos.
4. **A Pergunta do Foco Estreito: "Qual é minha Única Coisa agora?"** Use-a quando acordar e durante o dia. Ela vai manter você concentrado em seu trabalho mais importante e, sempre que você precisar, irá ajudá-lo a encon-

trar a "ação com alavancagem" ou o primeiro dominó em qualquer atividade. A Pergunta do Foco Estreito prepara você para a semana de trabalho mais produtiva possível. Também é eficaz na sua vida pessoal, mantendo-o atento às suas necessidades imediatas mais importantes, assim como às das pessoas mais importantes da sua vida.

A Pergunta de Foco traz resultados extraordinários. É como você programa seu caminho pela vida e pelos negócios e como você fará o melhor progresso em seu trabalho mais importante.

Quer você busque respostas grandes ou pequenas, fazer a Pergunta de Foco é o hábito crucial para o sucesso na sua vida.

11 O HÁBITO DO SUCESSO

"O sucesso é simples. Faça a coisa certa, do jeito certo, na hora certa."

– Arnold H. Glasow

Você sabe como são os hábitos. Às vezes são difíceis de romper – e difíceis de criar. Mas o tempo todo estamos involuntariamente adquirindo hábitos novos. Quando iniciamos um modo de pensar ou um modo de agir e continuamos com ele durante um período, criamos um hábito novo. A escolha que enfrentamos é se desejamos ou não formar hábitos que nos tragam o que queremos da vida. Se for esse o caso, a Pergunta de Foco é o hábito mais poderoso que podemos ter para alcançar o sucesso.

Para mim, a Pergunta de Foco é um modo de vida. Eu a uso para descobrir qual é minha maior prioridade, aproveitar ao máximo o meu tempo e obter o maior retorno das minhas ações. Sempre que o resultado é extremamente importante, eu recorro a ela. Eu me faço essa pergunta quando acordo e começo o dia. Me faço essa pergunta quando chego ao trabalho e de novo quando chego em casa. *Qual é a Única Coisa que posso fazer de modo que, ao fazê-la, todo o resto se torne mais fácil ou desnecessário?* Depois que chego à resposta, continuo a me fazer essa mesma pergunta até enxergar as conexões e todas as minhas peças de dominó estarem enfileiradas.

É claro, você vai enlouquecer se for analisar cada aspecto de tudo que poderia fazer. Eu não faço isso, e você também não deveria fazer. Comece pelas coisas grandes e veja aonde elas o levam. Com o tempo, você vai desenvolver a percepção de quando usar a pergunta do quadro geral e quando usar a do foco estreito.

A Pergunta de Foco é o hábito fundamental que me permite alcançar resultados extraordinários e levar uma vida ótima. Para algumas coisas eu nunca a uso. Aplico-a às áreas importantes da minha vida: vida espiritual, saúde física, vida pessoal, relacionamentos, trabalho, negócios e vida financeira. Nessa ordem – cada uma é um alicerce para a seguinte.

Como quero que minha vida tenha relevância, abordo cada área fazendo o que é mais importante nela. Considero que essas são as pedras fundamentais da minha vida e descobri que, quando estou fazendo o que é mais importante em cada área, minha vida parece funcionar em potência máxima.

A Pergunta de Foco pode direcionar você para a Única Coisa nas diferentes áreas da sua vida. Simplesmente a reformule inserindo a área em que você está pensando. Além disso, você pode incluir um prazo (digamos, "neste momento" ou "este ano") para dar à sua resposta o nível apropriado de urgência, ou "em cinco anos" ou "algum dia" para encontrar uma resposta de quadro geral que indique os resultados a almejar.

Aqui vão algumas Perguntas de Foco para você se fazer. Diga primeiro a categoria, depois faça a si mesmo a pergunta,

FIG. 16 Minha vida e suas áreas mais importantes.

acrescente um prazo e termine com "de modo que, ao fazê-la, todo o resto se torne mais fácil ou desnecessário?" Por exemplo: *"No meu trabalho*, qual é a Única Coisa que posso fazer para garantir que vou alcançar meus objetivos *esta semana* de modo que, ao fazê-la, todo o resto se torne mais fácil ou desnecessário?"

NA MINHA VIDA ESPIRITUAL...
- Qual é a Única Coisa que posso fazer para ajudar os outros?
- Qual é a Única Coisa que posso fazer para melhorar meu relacionamento com Deus?

NA MINHA SAÚDE FÍSICA...
- Qual é a Única Coisa que posso fazer para alcançar meus objetivos de alimentação?
- Qual é a Única Coisa que posso fazer para me exercitar regularmente?
- Qual é a Única Coisa que posso fazer para aliviar meu estresse?

NA MINHA VIDA PESSOAL...
- Qual é a Única Coisa que posso fazer para melhorar minha habilidade em _____ ?
- Qual é a Única Coisa que posso fazer para arranjar tempo para mim mesmo?

NOS MEUS RELACIONAMENTOS...
- Qual é a Única Coisa que posso fazer para melhorar meu relacionamento com meu cônjuge/parceiro?
- Qual é a Única Coisa que posso fazer para melhorar o desempenho dos meus filhos na escola?

- Qual é a Única Coisa que posso fazer para mostrar apreço aos meus pais?
- Qual é a Única Coisa que posso fazer para fortalecer mais minha família?

NO MEU TRABALHO...
- Qual é a Única Coisa que posso fazer para garantir que vou alcançar meus objetivos?
- Qual é a Única Coisa que posso fazer para melhorar minhas capacidades?
- Qual é a Única Coisa que posso fazer para ajudar minha equipe a ter sucesso?
- Qual é a Única Coisa que posso fazer para evoluir na carreira?

NA MINHA EMPRESA...
- Qual é a Única Coisa que posso fazer para sermos mais competitivos?
- Qual é a Única Coisa que posso fazer para tornar nosso produto o melhor?
- Qual é a Única Coisa que posso fazer para sermos mais lucrativos?
- Qual é a Única Coisa que posso fazer para melhorar a experiência dos nossos clientes?

NAS MINHAS FINANÇAS...
- Qual é a Única Coisa que posso fazer para aumentar meu patrimônio líquido?
- Qual é a Única Coisa que posso fazer para melhorar o fluxo de caixa dos meus investimentos?
- Qual é a Única Coisa que posso fazer para saldar a dívida do meu cartão de crédito?

GRANDES IDEIAS

E como você pode fazer com que a Única Coisa seja uma parte da sua rotina diária? Como pode torná-la suficientemente forte para obter resultados extraordinários no trabalho e em outras áreas da vida? Aqui vai uma lista retirada da nossa experiência e do nosso trabalho com outras pessoas.

1. **Entenda-a e acredite nela.** O primeiro passo é entender o conceito da Única Coisa, e depois, acreditar que ela pode fazer diferença na sua vida. Se você não entender e acreditar, não irá agir.

2. **Use-a.** Faça a si mesmo a Pergunta de Foco. Comece cada dia perguntando: *"Qual é a Única Coisa que posso fazer hoje para [qualquer coisa que você deseje] de modo que, ao fazê-la, todo o resto se torne mais fácil ou desnecessário?"* Quando você fizer isso, sua direção ficará clara. Seu trabalho será mais produtivo e sua vida pessoal, mais recompensadora.

3. **Torne isso um hábito.** Quando você se habitua a usar a Pergunta de Foco, aciona integralmente o poder dela para obter os resultados extraordinários que deseja. É algo que faz diferença. Pesquisas mostram que isso vai demorar cerca de 66 dias. Quer você demore algumas semanas ou alguns meses, continue firme até que isso se transforme na sua rotina. Se você não está levando a sério a aprendizagem do Hábito do Sucesso, não está levando a sério a obtenção de resultados extraordinários.

4. **Lembretes para estimular.** Estabeleça maneiras de se lembrar de usar a Pergunta de Foco. Um dos melhores modos de fazer isso é colocar no trabalho uma placa dizendo: "Até que minha Única Coisa esteja feita, todo o resto é distração." A contracapa deste livro traz uma pergunta

que serve de gatilho. Coloque o livro no canto da sua mesa de modo a ser a primeira coisa que você verá quando chegar ao trabalho. Use anotações, protetores de tela e agendas para continuar fazendo a conexão entre o Hábito do Sucesso e os resultados que você procura. Coloque lembretes como: "A Única Coisa = Resultados Extraordinários" ou "O Hábito do Sucesso Vai Me Levar ao Meu Objetivo".

5. **Recrute apoio.** Pesquisas mostram que as pessoas à sua volta podem influenciá-lo tremendamente. Criar um grupo de apoio para o sucesso com alguns colegas de trabalho pode ajudar a inspirar todos vocês a praticar o Hábito do Sucesso diariamente. Envolva sua família. Compartilhe sua Única Coisa. Coloque todos a bordo. Use a Pergunta de Foco com eles, para mostrar como o Hábito do Sucesso pode fazer diferença no trabalho escolar, nas realizações pessoais ou em qualquer aspecto da vida.

Esse único hábito pode se tornar o alicerce para muitos outros, portanto mantenha o seu Hábito do Sucesso funcionando no máximo de potência possível. Use as estratégias delineadas na Parte 3: Resultados Extraordinários para estabelecer objetivos e organizar o tempo, obtendo resultados extraordinários em todos os dias da sua vida.

O CAMINHO PARA BOAS RESPOSTAS 12

A Pergunta de Foco ajuda você a identificar a Única Coisa em qualquer situação. Ela vai esclarecer o que você deseja nas grandes áreas da sua vida e depois especificar o que você precisa fazer para obtê-lo. Na verdade, é um processo simples: você faz uma grande pergunta e em seguida busca uma grande resposta. Com dois passos simples, esse é o Hábito do Sucesso definitivo.

"As pessoas não decidem o próprio futuro, elas decidem seus hábitos, e seus hábitos decidem seu futuro."

– F. M. Alexander

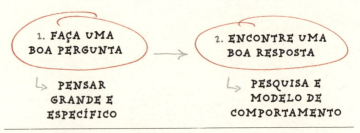

FIG. 17 Tática para chegar a resultados extraordinários.

1. FAÇA UMA BOA PERGUNTA

A Pergunta de Foco ajuda você a fazer uma grande pergunta. As boas perguntas, assim como os bons objetivos, são grandes e específicas. Elas o empurram, instigam você e o apontam para respostas grandes e específicas. E, como são

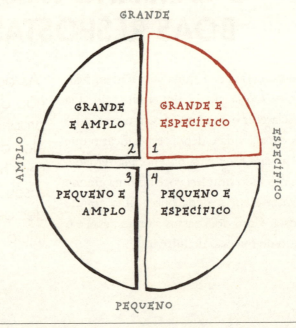

FIG. 18 Quatro opções para estruturar uma Boa Pergunta.

estruturadas para ser mensuráveis, não há brechas para ambiguidade com relação aos resultados.

Observe o gráfico da "Boa Pergunta" (ver figura 18) para enxergar o poder da Pergunta de Foco.

Vamos considerar o aumento nas vendas para analisar cada um dos quadrantes usando "O que posso fazer para dobrar as vendas em seis meses?" no quadrante Grande e Específico (ver figura 19).

Em seguida, vamos examinar os prós e os contras de cada quadrante, terminando com o lugar onde você quer estar: Grande e Específico.

Quadrante 4. Pequeno e Específico: "O que posso fazer para aumentar as vendas em 5% este ano?" Isso coloca você

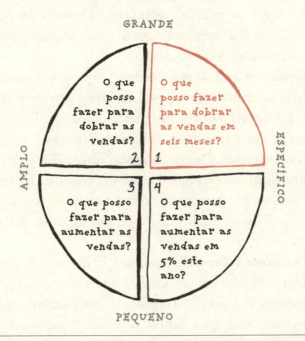

FIG. 19 Exemplo de quatro opções para estruturar uma Boa Pergunta.

numa direção específica, mas não há nada realmente desafiador nessa pergunta. Para a maioria dos vendedores, um aumento de 5% nas vendas poderia acontecer facilmente porque o mercado mudou a seu favor, e não por alguma coisa que você tenha feito. Na melhor das hipóteses, é um aumento no ganho, e não um salto adiante, transformador. Objetivos pequenos não exigem ações extraordinárias, de modo que raramente levam a resultados extraordinários.

Quadrante 3. Pequeno e Amplo: "O que posso fazer para aumentar as vendas?" Essa não é uma pergunta que leve à realização, é mais uma questão para incitar um brainstorming. É ótima para fazer uma lista das suas opções, porém exige algo a mais para estreitar as opções e simplificar. Em quanto as vendas irão aumentar? Em que data? Infelizmente esse é o tipo de pergunta comum que a maioria das pessoas faz e depois fica imaginando por que suas respostas não produzem resultados extraordinários.

Quadrante 2. Grande e Amplo: "O que posso fazer para dobrar as vendas?" Aqui você tem uma grande pergunta que é grande mas nem um pouco específica. É um bom começo, mas a falta de especificidade deixa mais perguntas do que respostas. Dobrar as vendas nos próximos 20 anos é muito diferente de tentar o mesmo objetivo em um ano ou menos. Ainda existem muitas opções, e, se não pensar em questões específicas, você não vai saber por onde começar.

Quadrante 1. Grande e Específico: "O que posso fazer para dobrar as vendas em seis meses?" Agora você tem todos os elementos de uma Boa Pergunta. É um objetivo grande e específico. Você quer dobrar as vendas e isso não é fácil. Além disso, tem um prazo de seis meses, o que será um desafio. Você vai precisar de uma grande resposta. Vai precisar esticar o que acha possível e olhar para fora da caixa de ferramentas de soluções comuns.

Está vendo a diferença? Quando você faz uma Boa Pergunta, está, em essência, indo atrás de um bom objetivo. E sempre que fizer isso verá o mesmo padrão: Grande e Específico. Uma pergunta grande e específica leva a uma resposta grande e específica, o que é absolutamente necessário para alcançar um grande objetivo.

Assim, se "O que posso fazer para dobrar as vendas em seis meses?" é uma BOA Pergunta, como torná-la mais poderosa? Converta-a na Pergunta de Foco: *"Qual é a Única Coisa que posso fazer para dobrar as vendas em seis meses de modo que, ao fazê-la, todo o resto se torne mais fácil ou desnecessário?"* Transformá-la na Pergunta de Foco alcança o cerne do sucesso ao obrigar você a identificar o que é mais importante e começar a partir daí. Por quê?

Porque é aí que o grande sucesso começa.

2. ENCONTRE UMA BOA RESPOSTA

O desafio de uma Boa Pergunta é que, assim que você a faz, fica diante da necessidade de encontrar uma Boa Resposta.

As respostas vêm em três categorias: viáveis, remotas e possíveis. A resposta mais fácil que você pode procurar é uma que já esteja ao alcance do seu conhecimento, de suas habilidades e da sua experiência. Com esse tipo de solução você provavelmente já sabe como fazer e não precisará mudar muita coisa para alcançá-la. Pense nele como "viável" e com mais probabilidade de ser alcançado.

O próximo nível é uma resposta "remota". Apesar de ainda estar ao seu alcance, pode se encontrar na extremidade mais distante. Você provavelmente vai precisar fazer alguma pesquisa e estudar o que outras pessoas fizeram para chegar a essa resposta. Realizar isso pode ser duvidoso, já que você pode ter que se estender até os limites da sua capacidade atual. Pense nisso como potencialmente alcançável e provável, dependendo do seu esforço.

Os grandes realizadores compreendem esses dois primeiros caminhos, mas os rejeitam. Não querendo aceitar o comum quando o extraordinário é possível, eles fizeram uma Boa Pergunta e querem a melhor resposta.

Resultados extraordinários exigem uma Boa Resposta.

As pessoas muito bem-sucedidas optam por viver nos limites extremos da realização. Não somente sonham, mas anseiam profundamente pelo que está além do seu alcance natural. Sabem que esse tipo de resposta é a mais

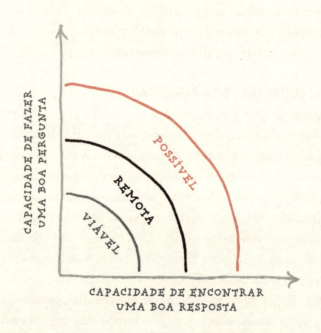

FIG. 20 O Hábito do Sucesso cria possibilidades.

difícil de encontrar, mas também sabem que, simplesmente se estendendo para encontrá-la, expandem e enriquecem a vida.

Se você quer o máximo da sua resposta, precisa perceber que ela está fora da sua zona de conforto. E lá o ar é rarefeito. Uma grande resposta nunca é evidente, e o caminho para encontrá-la não está aberto para você. Uma resposta possível existe para além do que já é conhecido e está sendo feito. Assim como acontece com um objetivo difícil, você pode começar pesquisando e estudando a vida de outros grandes realizadores. Mas não pode parar aí. Na verdade, nesse ponto sua busca apenas começou. Você usará tudo que tiver aprendido para fazer o que somente os grandes realizadores fazem: benchmarking e análise de tendências.

Uma Boa Resposta é, em essência, uma resposta nova. É um salto por cima de todas as respostas atuais na busca da próxima, e ela é encontrada em dois passos. O primeiro é o mesmo de quando você busca a opção remota. Você descobre as melhores pesquisas e estuda os maiores realizadores. Sempre que não souber a resposta, a resposta é procurar a resposta. Em outras palavras, por padrão, sua primeira Única Coisa é procurar pistas e modelos de comportamento que apontem a direção certa. A primeira coisa a fazer é perguntar: "Outra pessoa já estudou ou realizou isso ou algo parecido?" Quase sempre a resposta é sim, então você começa sua investigação descobrindo o que outras pessoas aprenderam.

Um dos motivos para eu ter formado uma grande biblioteca pessoal ao longo dos anos é que os livros são uma ótima fonte onde procurar essas respostas. Só perdem para uma conversa com alguém que tenha realizado o que você

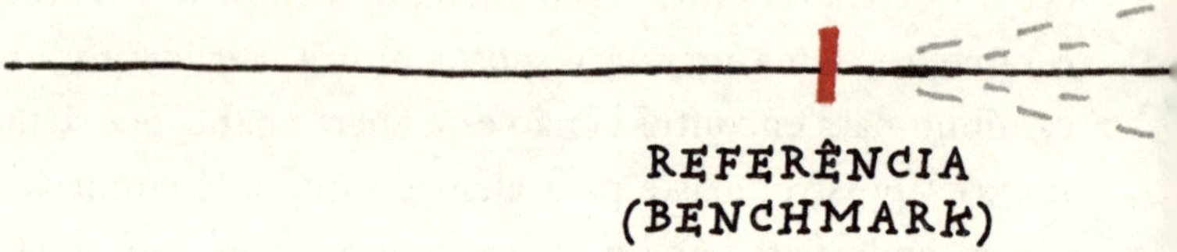

REFERÊNCIA (BENCHMARK)

FIG. 21 O benchmark é o sucesso de hoje, a tendência é o sucesso de amanhã.

quer alcançar. Segundo minha experiência, os livros e outras publicações oferecem o máximo em termos de pesquisa documentada e modelos de comportamento para o sucesso. A internet também se tornou uma ferramenta valiosíssima. Seja off-line ou on-line, você está tentando encontrar pessoas que já tenham percorrido a estrada por onde você viaja, de modo que pode pesquisar, seguir modelos, fazer benchmarking e mudar de direção segundo a experiência delas. Uma vez um professor universitário me disse: "Gary, você é inteligente, mas muita gente veio antes de você. Você não é a primeira pessoa a sonhar grande, por isso tenha a sabedoria de estudar o que outros aprenderam e depois estruturar suas ações a partir dos ensinamentos deles." Esse professor estava certíssimo. E o que ele falou também serve para você.

A pesquisa e as experiências dos outros são o melhor lugar para começar quando você está procurando uma resposta.

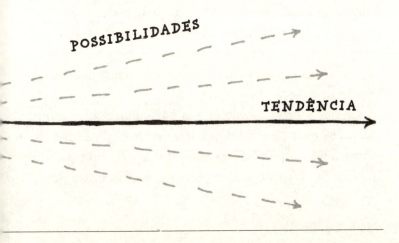

Armado com esse conhecimento, você pode fazer um benchmarking, isto é, uma análise do melhor de tudo que é conhecido e está sendo feito atualmente. Com uma abordagem do tipo remoto esse era o seu máximo, mas agora é o seu mínimo. Não é só isso que você faz, mas se torna o topo da colina de onde você olhará em busca da próxima coisa que pode fazer na mesma direção em que os melhores realizadores estão indo ou, se necessário, numa direção totalmente nova.

É assim que os grandes problemas são resolvidos e os grandes desafios são superados, já que as melhores respostas raramente resultam de um processo comum. Seja para descobrir como ultrapassar a concorrência, encontrar uma cura para uma doença ou bolar um plano de ação para um objetivo pessoal, o benchmarking e a análise de tendências são sua melhor opção. Como sua resposta será original, você provavelmente precisará se reinventar de algum modo para implementá-la. Uma resposta nova geralmente exige um comportamento novo, portanto não fique surpreso se você passar por mudanças ao longo do caminho para um sucesso considerável. Mas não deixe que isso o impeça de avançar.

É aí que a magia acontece e as possibilidades são ilimitadas. Por mais desafiador que seja, sempre vale a pena ser pioneiro no caminho das possibilidades – porque quando ampliamos nosso alcance ampliamos também nossa vida.

GRANDES IDEIAS

1. **Pense grande e específico.** Estabelecer um objetivo é como formular uma pergunta. É um passo simples que vai do "Eu gostaria de fazer isso" para "Como vou conseguir fazer isso?". A melhor pergunta (e, por padrão, o melhor objetivo) é grande e específica: grande porque você está atrás de resultados extraordinários; específica para lhe dar um alvo e não deixar espaço de ambiguidade com relação a como acertar o alvo. Uma pergunta grande e específica, especialmente na forma de uma Pergunta de Foco, ajuda você a acertar na melhor resposta possível.
2. **Pense nas possibilidades.** Estabelecer um objetivo viável é como criar uma tarefa para ticar em sua lista. Um objetivo remoto é mais desafiador. Ele faz com que você busque os limites das suas capacidades atuais; você precisa se esticar para alcançá-lo. O melhor objetivo explora o que é possível. Quando você vê pessoas e empresas que passaram por transformações, percebe que é aí que elas vivem.
3. **Faça benchmarking e análise de tendências para obter a melhor resposta.** Ninguém tem bola de cristal, mas, com prática, você pode se tornar muito bom em prever que

direção as coisas estão tomando. As pessoas e as empresas que chegam na frente costumam pegar a parte do leão das recompensas tendo poucos concorrentes, se é que eles existem. Faça benchmarking e análise de tendências para encontrar a resposta extraordinária necessária para que você alcance resultados extraordinários.

PARTE 3

RESULTADOS EXTRAORDINÁRIOS
EXPLORANDO AS POSSIBILIDADES QUE HÁ DENTRO DE VOCÊ

> "Mesmo quem está na trilha certa será atropelado se ficar lá parado."
>
> – Will Rogers

RESULTADOS EXTRAORDINÁRIOS

A vida tem um ritmo natural que se torna uma fórmula simples para implementar a Única Coisa e alcançar resultados extraordinários: propósito, prioridade e produtividade. Quando juntas, essas três partes ficam conectadas para sempre, continuamente confirmando a existência umas das outras na nossa vida. Essa conexão leva às duas áreas, uma grande e outra pequena, em que você aplicará a Única Coisa.

Sua Única Coisa grande é o seu propósito, e sua Única Coisa pequena é a prioridade com que você age para alcançá-lo. As pessoas mais produtivas começam pelo propósito e o usam como bússola, permitindo que seja a força-guia na hora de determinar o nível de prioridade que direciona suas ações. Esse é o caminho direto para resultados extraordinários.

Pense em propósito, prioridade e produtividade como três camadas de um iceberg.

Como normalmente apenas 1/9 de um iceberg fica acima da água, o que você vê é apenas a ponta de toda a massa que está ali. É exatamente assim que produtividade, prioridade e propósito se relacionam – o que vemos é determinado pelo que não vemos.

Quanto mais produtivo é alguém, mais propósito e prioridade ele tem. O mesmo acontece com as empresas – com o resultado adicional do lucro. O que é visível ao público (produtividade e lucro) está sempre sustentado pelo material

FIG. 22 A produtividade é impulsionada pelo propósito e pela prioridade.

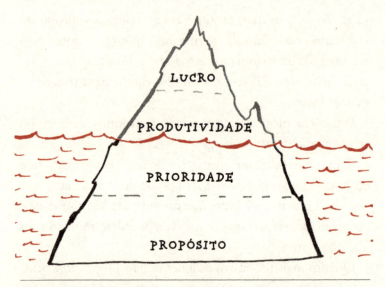

FIG. 23 Nos negócios, lucro e produtividade também são impulsionados pela prioridade e pelo propósito.

que constitui um alicerce (propósito e prioridade). Todos os empresários querem produtividade e lucro, mas muitos não percebem que o melhor caminho para conseguir as duas coisas é através da prioridade direcionada pelo propósito.

A produtividade pessoal é a base do lucro de todas as empresas. As duas coisas são inseparáveis. Uma empresa com funcionários improdutivos não tem como, por magia, ter lucros gigantescos. As grandes empresas são feitas por cada pessoa produtiva que nelas trabalha. E, é claro, as pessoas mais produtivas recebem as maiores recompensas das empresas.

A conexão entre propósito, prioridade e produtividade determina até que altura chegam as pessoas bem-sucedidas e as empresas lucrativas. Entender isso é essencial para obter resultados extraordinários.

VIVER COM PROPÓSITO 13

Então, como podemos usar o propósito para criar uma vida extraordinária? Ebenezer Scrooge nos ensina.

Homem de coração frio, sovina e ganancioso, que desprezava o Natal e todas as coisas que trazem felicidade para as pessoas (em inglês, seu sobrenome passou a significar avareza e maldade), Ebenezer Scrooge poderia ser o pior candidato possível a ensinar alguma coisa sobre a vida. No entanto, é isso o que ele faz no clássico *Uma canção de Natal*, escrito por Charles Dickens em 1843.

> "Viver não é se encontrar. Viver é se criar."
> – *George Bernard Shaw*

A história redentora da transformação de Scrooge, de pessoa mesquinha, insensível e mal-amada em um homem atencioso, carinhoso e querido, é um dos melhores exemplos de como nosso destino é determinado por nossas decisões, como nossa vida é moldada por nossas escolhas. Mais uma vez a ficção nos dá uma fórmula que todo mundo pode seguir para criar uma vida extraordinária com resultados extraordinários. Vamos relembrar essa famosa história atemporal.

Numa noite de Natal, Ebenezer Scrooge é visitado pelo fantasma do falecido Jacob Marley, seu ex-sócio. Não sabemos se é sonho ou realidade. Marley lamenta: "Vim aqui esta noite alertar que você ainda tem uma chance e uma esperança de escapar de um destino igual ao meu. Você será assombrado por três fantasmas": um do passado, um do presente e um do futuro. "Lembre-se do que aconteceu entre nós!"

Dickens descreve Scrooge como um homem cujas feições idosas estão congeladas pela frieza que existe dentro dele. De punhos fechados, cabeça baixa e sempre obrigando os outros a se matar de tanto trabalhar, Scrooge paga o mínimo possível a seus empregados e fica com o máximo que pode. É cheio de segredos e solitário. Ninguém jamais o cumprimenta na rua. Ninguém se importa com ele, porque ele não se importa com ninguém. É um velho amargo, mau e ganancioso – de olhar frio e coração gelado, sem qualquer perspectiva de derreter o gelo. Ele tem uma existência solitária e o mundo acaba sofrendo por isso.

No decorrer da noite, os três fantasmas visitam Scrooge para lhe mostrar seu passado, seu presente e seu futuro. A partir dessas três visitas, ele percebe como se tornou o homem que é, como sua vida está se desenrolando no momento atual e o que acontecerá com ele e com as pessoas ao redor. É uma experiência aterrorizante que o deixa visivelmente abalado quando acorda no dia seguinte. Sem saber se foi real, mas perplexo ao descobrir que permanece no presente, Scrooge percebe que ainda há tempo para alterar seu destino. Tonto de alegria, ele corre para a rua e instrui o primeiro menino que encontra a comprar o maior peru da feira e mandá-lo anonimamente para a casa de seu único empregado, Bob Cratchit. Ao ver um cavalheiro que ele um dia censurou por pedir doações para os necessitados, pede perdão e promete doar enormes quantias.

Ebenezer então chega à casa do seu sobrinho, onde pede perdão por ter sido tão tolo durante tanto tempo e aceita o convite para o jantar natalino. A esposa e os convidados do sobrinho, chocados com sua alegria sincera, mal conseguem acreditar que aquele é Scrooge.

Na manhã seguinte, Bob Cratchit, depois de chegar atrasado ao trabalho, é confrontado por Scrooge:

– Que negócio é esse de chegar a essa hora? Não vou mais admitir esse tipo de coisa!

Antes mesmo de assimilar isso, o incrédulo Cratchit ouve:

– Portanto, vou aumentar o seu salário!

A partir daí, Scrooge se torna benfeitor da família Cratchit. Encontra um médico para o Pequeno Tim, o filho inválido de Cratchit, e se torna uma espécie de segundo pai para ele. Pelo resto da vida, Scrooge dedica seu tempo e seu dinheiro a fazer tudo que pode pelos outros.

Com essa história simples, Dickens mostra uma fórmula simples para criar uma vida extraordinária: viva com um propósito. Viva segundo prioridades. Viva para a produtividade.

Pensando nessa história, creio que Dickens revela o propósito como uma combinação de *para onde estamos indo* com *o que é importante para nós*. Ele sugere que nossa prioridade é aquilo a que damos maior importância, e que nossa produtividade resulta de nossas ações. Mostra a vida como uma série de escolhas conectadas, em que nosso propósito estabelece nossa prioridade e nossa prioridade determina a produtividade das nossas ações.

Para Dickens, nosso propósito determina quem somos.

Scrooge é transparente e fácil de ser entendido, por isso vamos revisitar *Uma canção de Natal* pelas lentes da fórmula de Dickens. No ponto em que entramos na vida dele, o propósito de Scrooge é obviamente acumular dinheiro. O velho passa a vida trabalhando para ganhá-lo ou estando a sós com ele. Gosta mais de dinheiro do que das pessoas e acredita que esse é o fim que justifica qualquer meio. Baseado nesse propósito, sua prioridade é simples: ganhar o máximo possível. Para Scrooge, o que importa é acumular moedas. O resultado disso é que sua produtividade está sempre direcionada para ganhar dinheiro. Quando tira uma folga do trabalho de ganhá-lo, ele conta dinheiro para se divertir. Ganhar, acumular, emprestar, receber, contabilizar – essas são as ações que preenchem seus dias, porque ele é ganancioso, egoísta e não se comove com a condição humana de quem está ao seu redor.

Segundo seus próprios padrões, Scrooge é tremendamente produtivo na realização de seu propósito. Segundo os padrões de qualquer outra pessoa, sua vida é um horror.

Esse seria o fim da história se não fosse a perspectiva fornecida a Scrooge por seu ex-sócio. Jacob Marley não quer que aconteça a Scrooge o mesmo que aconteceu a ele. Assim, depois de ser assombrado pelos fantasmas, o que acontece com Scrooge? Segundo o relato de Dickens, seu propósito muda, o que muda sua maior prioridade, o que, por sua vez, muda o foco de sua produtividade. Depois da intervenção de Marley, Scrooge sente o poder transformador de um novo propósito.

E quem ele se torna? Bom, vamos dar uma olhada.

Quando a narrativa termina, o propósito de Scrooge não é mais o dinheiro, e sim as pessoas. Agora ele se importa com os outros, com a situação financeira e a condição física deles. Ele se vê em relacionamentos felizes, ajudando os outros de todas as maneiras possíveis. Dá mais valor a ajudar as pessoas do que a juntar dinheiro e acredita que o dinheiro é bom pelo bem que pode trazer.

Qual é a prioridade dele? Se antes Scrooge cuidava do dinheiro e usava as pessoas, agora ele usa o dinheiro para cuidar das pessoas. Sua prioridade máxima é ganhar o máximo de dinheiro possível para ajudar o maior número possível de pessoas. Suas ações? Ele é produtivo ao usar cada centavo possível para ajudar os outros.

A transformação é notável, a mensagem é inconfundível. Quem nós somos e aonde queremos ir determinam nossas ações e nossas realizações.

Uma vida com propósito é a mais poderosa de todas – e a mais feliz.

FELICIDADE DE PROPÓSITO

Pergunte a algumas pessoas o que elas querem da vida e a maioria esmagadora das respostas será "ser feliz". Apesar de todos termos uma ampla variedade de respostas específicas, o que a maioria de nós deseja é a felicidade – no entanto, ela é a coisa que a maioria de nós menos entende. Não importam as motivações. A maior parte do que fazemos na vida se destina, em última instância, a nos fazer felizes. Mas entendemos tudo errado. A felicidade não acontece como pensamos.

Para explicar, quero contar uma história antiga:

A TIGELA DE ESMOLAS

Certa manhã, ao sair do palácio e encontrar um pedinte, o rei pergunta a ele:

– O que você quer?

O pedinte ri.

– O senhor pergunta como se pudesse realizar meu desejo!

O rei reage, ofendido:

– Claro que posso. O que é?

O mendigo alerta:

– Pense duas vezes antes de prometer qualquer coisa.

Bom, aquele não era um pedinte comum, e sim o mentor do rei numa vida passada, que prometeu naquela existência anterior: "Tentarei fazer você acordar na próxima vida. Você desperdiçou esta, mas eu voltarei para ajudá-lo."

Sem reconhecer o amigo, o rei insiste:

– Darei qualquer coisa que pedir, porque sou um rei muito poderoso, capaz de realizar qualquer desejo.

Então o pedinte diz:

– É um desejo muito simples. O senhor pode encher esta tigela de esmolas?

– Claro – responde o rei, e instrui seu vizir a encher de dinheiro a tigela de esmolas do homem.

O vizir faz isso, mas o dinheiro desaparece ao ser derramado na tigela. Ele derrama mais e mais, porém o dinheiro some.

A tigela de esmolas permanece vazia.

A história se espalha e uma multidão se forma. Com o prestígio e o poder em jogo, o rei diz ao vizir:

– Se eu tiver de perder o reino, estou pronto para isso, mas não posso ser derrotado por esse pedinte.

E continua a derramar suas riquezas na tigela: diamantes, pérolas, esmeraldas. Seu tesouro está se esgotando.

Mas a tigela parece não ter fundo. Tudo que é colocado nela desaparece imediatamente!

Por fim, enquanto a multidão permanece em silêncio absoluto, o rei se ajoelha aos pés do pedinte e admite a derrota:

– Você venceu. Mas, antes de ir, satisfaça minha curiosidade. Qual é o truque dessa tigela de esmolas?

O mendigo responde com humildade:

– Não há truque. Ela simplesmente é feita do desejo humano.

Um dos maiores desafios é garantir que nosso propósito de vida não se transforme numa tigela de esmolas, um poço sem fundo feito de desejo que busca continuamente a próxima coisa que nos fará felizes. Isso é fracasso na certa.

Ganhamos mais dinheiro e adquirimos mais bens quase sempre pelo prazer que esperamos que isso nos traga. De certo modo, até que dá certo. Conseguir dinheiro ou algo que desejamos pode fazer subir nosso medidor de felicidade – por um momento. Depois, ele desce de novo. Com o correr das eras, nossas maiores mentes pensaram na felicidade e suas conclusões são quase sempre as mesmas: ter dinheiro e bens não leva automaticamente à felicidade duradoura.

O modo como as circunstâncias nos afetam depende de como as interpretamos em relação à nossa vida. Se não temos uma visão do "quadro geral", é fácil cairmos na busca serial do sucesso. Por quê? A gente se acostuma rápido. Isso acontece com todo mundo e termina por nos deixar entediados, procurando algo novo para obter ou fazer. Pior: podemos nem mesmo parar ou diminuir a velocidade e desfrutar o que temos porque nos levantamos automaticamente e partimos para outra coisa. Se não tomamos cuidado, acabamos quicando de uma realização e uma aquisição para outra aquisição e outra realização, sem tirar um tempo para desfrutar de verdade. Esse é um bom modo de continuarmos mendigos, e o dia em que percebemos isso é o dia em que nossa vida muda para sempre. Então, como podemos encontrar a felicidade duradoura?

A felicidade acontece no caminho para a realização.

Martin Seligman, ex-presidente da Associação Americana de Psicologia, acredita que existem cinco fatores que colaboram para a nossa felicidade: emoção positiva, prazer positivo, relacionamentos, engajamento e significado. Dessas coisas, ele acredita que o engajamento e o significado são as mais importantes. O modo mais seguro de encontrar a felicidade duradoura é se engajar mais no que se faz, encontrando meios de tornar a vida mais significativa. Quando nossas ações cotidianas atendem a um propósito maior, a felicidade mais poderosa e duradoura pode se realizar.

Veja o dinheiro. Como representa ao mesmo tempo a obtenção de alguma coisa e o potencial para obter mais, ele serve como ótimo exemplo. Muitas pessoas não somente se equivocam com relação a como ganhar dinheiro, mas também a como ele nos torna felizes. Já ensinei todo tipo de pessoa a ganhar dinheiro, desde empreendedores experientes até alunos do ensino médio, e sempre que pergunto "Quanto dinheiro você quer ganhar?" recebo a mesma resposta: "Não sei." Então pergunto: "Você sabe dizer qual é a sua definição de uma pessoa financeiramente rica?" Sempre recebo números que começam com 1 milhão de dólares e vão aumentando. Quando pergunto como chegaram a essa resposta, eles dizem: "Parece muito." E eu digo: "É e não é. Depende do que você faria com ele."

Acredito que as pessoas financeiramente ricas são as que ganham dinheiro suficiente sem ter de trabalhar para financiar seu propósito na vida. Perceba que essa definição apresenta um desafio para qualquer um que a aceite. Para ser financeiramente rico, você precisa ter um propósito. Ou seja: sem propósito, você jamais vai saber quando acumulou dinheiro suficiente e jamais será financeiramente rico.

Não é que o dinheiro não vá fazê-lo feliz. Até certo ponto, isso certamente pode acontecer. Mas chega um momento em que o efeito acaba. A motivação para ganhar mais dinheiro vai depender do seu motivo para desejar mais. Já foi dito que os fins não deveriam justificar os meios, mas tome cuidado: qualquer fim que você busque só criará felicidade através dos meios necessários para alcançá-la. Querer mais dinheiro só para ter mais não trará a felicidade que você busca. A felicidade acontece quando você tem um propósito maior do que alcançar mais realizações, e é por isso que dizemos que a felicidade acontece no caminho para a realização.

O PODER DO PROPÓSITO
O propósito é o caminho direto para o poder e é a fonte definitiva de força pessoal – força de convicção e força para perseverar. A receita para resultados extraordinários é saber o que é importante para você e executar doses diárias de ações que estejam alinhadas com isso. Quando você tem um propósito nítido, a clareza chega mais depressa, o que leva a mais convicção, o que, por sua vez, leva a decisões mais rápidas. Quando você toma decisões mais rápidas, geralmente toma as primeiras decisões e pode fazer as melho-

res escolhas. E quando você faz as melhores escolhas tem a oportunidade de passar por experiências melhores. É assim que saber para onde você está indo ajuda a levá-lo aos melhores resultados e experiências que a vida tem a oferecer.

Além disso, ter um propósito ajuda quando as coisas não são favoráveis. Às vezes a vida fica difícil e não há como evitar. Se você mirar alto o suficiente e viver por tempo suficiente, terá sua cota de tempos difíceis. Tudo bem. Todo mundo passa por isso. Saber por que você está fazendo alguma coisa proporciona a inspiração e a motivação que darão a transpiração extra necessária para perseverar quando as coisas não forem favoráveis. Permanecer numa mesma coisa por tempo suficiente para o sucesso aparecer é uma exigência fundamental para alcançar resultados extraordinários.

O propósito proporciona a cola definitiva que pode ajudá-lo a permanecer grudado no caminho que escolheu. Quando o que você faz combina com o seu propósito, sua vida entra no ritmo e seus passos parecem combinar com o som que está na sua cabeça e no seu coração. Viva com propósito e não fique surpreso se começar a cantarolar mais e até mesmo a assobiar no trabalho.

Quando pergunta a si mesmo "Qual é a Única Coisa que posso fazer na minha vida e que significaria o máximo para mim e para o mundo, de modo que, ao fazê-la, todo o resto se torne mais fácil ou desnecessário?", você está usando o poder da Única Coisa para levar propósito à sua vida.

GRANDES IDEIAS

1. **A felicidade acontece no caminho para a realização.** Todos queremos ser felizes, mas procurar a felicidade não é o melhor modo de encontrá-la. O caminho garantido para

a felicidade duradoura é atrelar sua vida a algo maior, colocar significado e propósito em suas ações cotidianas.
2. **Descubra o seu Grande Porquê.** Descubra o seu propósito se perguntando o que o impulsiona. O que o faz se levantar pela manhã e o mantém em frente quando está cansado e desgastado? Algumas vezes chamo isso de seu "Grande Porquê". Esse é o porquê de você estar empolgado com a vida. Esse é o porquê de você fazer o que faz.
3. **Na falta de uma resposta, escolha uma direção.** "Propósito" pode parecer uma coisa pesada, mas não precisa ser. Pense nele simplesmente como a Única Coisa que, mais do que qualquer outra, você quer relacionar com sua vida. Tente anotar algo que você gostaria de realizar e depois descreva como faria isso.

Para mim, é mais ou menos assim: "Meu propósito é ajudar as pessoas a ter a melhor vida possível através dos meus ensinamentos, meus treinamentos e meus textos." Então, como é minha vida?

Minha Única Coisa é ensinar, e tem sido isso há quase 30 anos. No início era ensinar a clientes sobre o mercado e como tomar decisões ótimas. Depois passou a ser ensinar a vendedores na sala de aula, em reuniões sobre vendas e individualmente. Mais tarde, foi dar aulas sobre gestão de empresas. Em seguida, passou a ser ensinar os modelos e estratégias dos grandes empreendedores para obter alto nível de realização, e nos últimos 10 anos tem sido ensinar em seminários sobre princípios específicos de aprimoramento da vida. O que eu ensino é o mesmo que uso depois, nos treinamentos, e é sustentado pelo que escrevo.

Escolha uma direção, comece a andar e veja o que acha. O tempo traz clareza, e, se você descobrir que não gosta desse caminho, pode mudar de direção. A vida é sua.

14 VIVA DE ACORDO COM A PRIORIDADE

"Planejar é trazer o futuro para o presente de modo que você possa fazer alguma coisa a respeito dele agora."

– Alan Lakein

– Pode me dizer, por favor, que caminho devo pegar a partir daqui?

– Isso depende de aonde você quer chegar – respondeu o Gato.

– Tanto faz... – disse Alice.

– Então tanto faz o caminho.

O clássico encontro de Alice com o Gato Cheshire em *Alice no País das Maravilhas*, de Lewis Carroll, revela a conexão íntima entre propósito e prioridade. Se você viver com prioridade saberá para onde quer ir. Viva de acordo com a prioridade e você saberá o que fazer para chegar lá.

Quando cada dia começa, todos nós temos uma escolha. Podemos perguntar "O que posso fazer?" ou "O que devo fazer?". Sem direção, sem propósito, qualquer coisa que você "possa fazer" irá sempre levá-lo a algum lugar. Mas, quando você vai a algum lugar com propósito, sempre haverá algo que você "deve fazer" e que vai levá-lo aonde você *precisa* ir. Quando sua vida tem propósito, viver de acordo com a prioridade se torna mais importante.

AJUSTAR O OBJETIVO AO AGORA

Como Ebenezer Scrooge descobriu de maneira profunda, nossa vida é direcionada pelo propósito que atribuímos a ela. Mas existe um problema que até ele precisou enfrentar: o propósito só tem a capacidade de moldar nossa vida na proporção direta do poder da prioridade que associamos a ele. O propósito sem prioridade não tem força.

Para ser exato, a palavra é *prioridade* – e não prioridades – e surgiu no século XIV, a partir da palavra latina *prior*, que significa "primeiro". Se alguma coisa era *a mais importante*, ela era uma "prioridade". Curiosamente, prioridade permaneceu sem plural até por volta do século XX, quando aparentemente o mundo a rebaixou até significar "algo que importa" e surgiu o plural, "prioridades". Com a perda da intenção inicial, uma grande variedade de expressões como "a questão mais premente", "o interesse primário" e "o primeiro da fila" surgiu para recapturar a essência do original. Hoje, elevamos prioridade ao seu significado essencial acrescentando "máxima", "maior", "primeira", "principal" e "mais importante". Parece que a prioridade percorreu um caminho interessante.

Por isso, preste atenção no modo como fala. Você pode ter muitas maneiras de falar sobre prioridade, mas, não importando as palavras que use, para alcançar resultados extraordinários seu significado deve ser o mesmo: a Única Coisa.

Sempre que ensino sobre estabelecer objetivos, minha prioridade máxima é mostrar como um objetivo e uma prioridade funcionam juntos. Faço isso perguntando: "Por que estabelecemos objetivos e criamos planos?" A despeito de todas as respostas boas que recebo, a verdade é que só temos objetivos e planos por um único motivo: agir de modo adequado nos momentos mais importantes da vida. Ainda que possamos lembrar o passado e imaginar o futuro, nossa única realidade é o momento presente. Tudo que temos para trabalhar é o AGORA. Nosso passado é apenas um ex-agora, nosso futuro é um agora potencial. Por isso comecei a me referir ao modo de criar uma prioridade poderosa como "Ajustar o Objetivo ao Agora" para enfatizar por que, afinal, estávamos criando uma prioridade.

A verdade sobre o sucesso é que nossa capacidade de alcançar resultados extraordinários no futuro depende de criarmos uma sequência de momentos poderosos, um após outro. O que você faz em qualquer momento específico determina o que você experimenta no momento seguinte. O seu "agora atual" e todos os seus "*agoras* futuros" são indiscutivelmente determinados pela prioridade que você vive no momento. O fator decisivo para determinar como você estabelece essa prioridade é saber quem vence a batalha entre seu eu atual e seu eu futuro.

Se lhe oferecessem a opção de ganhar 100 reais hoje ou 200 no ano que vem, o que você escolheria? Os 200, certo? Você faria essa escolha se o seu objetivo fosse ganhar o máximo de dinheiro com essa oportunidade. Estranhamente, a maioria das pessoas não escolhe isso.

Há muito tempo os economistas sabem que, ainda que as pessoas prefiram recompensas grandes às pequenas, elas têm uma preferência ainda maior por recompensas *imediatas*, em detrimento das *futuras* – mesmo quando as recompensas futuras são MUITO MAIORES. É um fato corriqueiro, estranhamente chamado de *desconto hiperbólico* – <u>quanto mais distante no futuro está uma recompensa, menor é a motivação imediata para obtê-la</u>. Talvez porque os objetos distantes pareçam menores, de modo que, equivocadamente, as pessoas presumem que eles realmente são menores e descontam seu valor. Talvez isso explique por que tantas pessoas escolheriam os 100 reais hoje e não o dobro disso no futuro. Sua "predisposição presente" esmaga a lógica e as leva a permitir que um futuro grande, com resultados talvez extraordinários, lhes escape. Agora imagine o impacto devastador que esse modo de vida poderia causar no seu eu futuro. Lembra-se da nossa conversa sobre a gratificação adiada? Por acaso o que começa como marshmallows pode mais tarde custar muito mais.

Precisamos de um modo simples de pensar para nos salvar de nós mesmos, estabelecer a prioridade correta e chegar mais perto de realizar nosso propósito.

O Ajuste do Objetivo ao Agora leva você até lá.

Ao pensar no filtro para Ajustar o Objetivo ao Agora, você estabelece um objetivo futuro e parte metodicamente para o que deveria estar fazendo neste momento. É como uma boneca russa: **sua** Única Coisa de "agora" está dentro da sua Única Coisa de hoje, que está dentro da sua Única Coisa desta semana, que está dentro da sua Única Coisa deste mês... É assim que algo pequeno pode vir a se tornar grande.

Você está enfileirando suas peças de dominó.

AJUSTANDO O OBJETIVO AO AGORA

OBJETIVO PARA ALGUM DIA
Qual é a Única Coisa que quero fazer algum dia?

↓

OBJETIVO PARA CINCO ANOS
Baseado no meu objetivo para algum dia, qual é a Única Coisa que posso fazer nos próximos cinco anos?

↓

OBJETIVO PARA UM ANO
Baseado no meu objetivo para cinco anos, qual é a Única Coisa que posso fazer este ano?

↓

OBJETIVO MENSAL
Baseado no meu objetivo de um ano, qual é a Única Coisa que posso fazer este mês?

↓

OBJETIVO SEMANAL
Baseado no meu objetivo mensal, qual é a Única Coisa que posso fazer esta semana?

↓

OBJETIVO DIÁRIO
Baseado no meu objetivo semanal, qual é a Única Coisa que posso fazer hoje?

↓

AGORA
Baseado no meu objetivo diário, qual é a Única Coisa que posso fazer agora?

FIG. 24 O propósito futuro se conecta com a prioridade atual.

Para entender como o Ajuste do Objetivo ao Agora orienta seu pensamento e determina sua prioridade mais importante, leia isto em voz alta:

> Baseado no meu objetivo para algum dia, qual é a Única Coisa que posso fazer nos próximos cinco anos para estar no caminho de alcançá-lo? Agora, baseado em meu objetivo de cinco anos, qual é a Única Coisa que posso fazer este ano para estar no caminho de alcançar meu objetivo de cinco anos, de modo a estar no caminho para alcançar meu objetivo para algum dia? Agora, baseado no meu objetivo para este ano, qual é a Única Coisa que posso fazer este mês para estar no caminho de alcançar meu objetivo deste ano, de modo a estar no caminho de alcançar meu objetivo de cinco anos, de modo a estar no caminho de alcançar meu objetivo para algum dia? Agora, baseado no meu objetivo deste mês, qual é a Única Coisa que posso fazer nesta semana para estar no caminho de alcançar meu objetivo deste mês, de modo a estar no caminho para alcançar meu objetivo deste ano, de modo a estar no caminho para alcançar meu objetivo de cinco anos, de modo a estar no caminho para alcançar meu objetivo para algum dia? Assim, baseado no meu objetivo de hoje, qual é a Única Coisa que posso fazer AGORA de modo a estar no caminho para alcançar meu objetivo de hoje, de modo a estar no caminho para alcançar meu objetivo desta semana, de modo a estar no caminho para alcançar meu objetivo deste mês, de modo a estar no caminho para alcançar meu objetivo deste ano, de modo a estar no caminho para alcançar meu objetivo de cinco anos, de modo a estar no caminho de alcançar meu objetivo para algum dia?

Espero que você tenha se mantido firme e lido tudo. Por quê? Porque você estaria treinando sua mente num modo de pensar, de conectar um objetivo ao objetivo seguinte no correr do tempo até saber qual é a coisa mais importante que pode fazer AGORA. Estaria aprendendo a pensar grande – mas estreitando o foco.

Para provar o valor desse método, pule algumas etapas com a pergunta "Qual é a Única Coisa que posso fazer agora de modo a estar no caminho de alcançar meu objetivo para algum dia?". Não funciona. Esse momento está distante demais no futuro para que você enxergue com clareza qual é sua prioridade fundamental. De fato, você pode continuar acrescentando de volta o hoje, esta semana e assim por diante, mas não vai enxergar a prioridade poderosa que você busca enquanto não tiver acrescentado de volta todos os passos. É por isso que a maioria das pessoas jamais chega perto dos seus objetivos. Elas não conectaram o hoje com todos os amanhãs necessários para chegar lá.

Conecte o hoje a todos os seus amanhãs. Faz toda a diferença.

Pesquisas confirmam isso. Em três estudos separados, psicólogos observaram 262 estudantes para analisar o impacto da visualização nos resultados. Foi pedido que os estudantes visualizassem de dois modos: os do primeiro grupo deveriam visualizar o *resultado* (por exemplo, tirar nota máxima numa prova) e os outros deveriam visualizar o *processo* necessário para alcançar um resultado desejado (por exemplo, todas as sessões de estudo necessárias para tirar aquela nota máxima na prova). No final, os estudantes que visualizaram o processo tiveram desempenho melhor – estudaram mais cedo e com mais frequência, tirando notas mais altas do que os que simplesmente visualizaram o resultado.

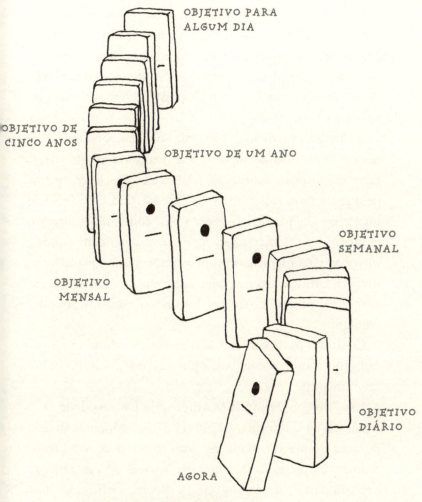

FIG. 25 Vivendo uma queda de dominós.

VIVA DE ACORDO COM A PRIORIDADE 161

As pessoas costumam ser exageradamente otimistas com relação ao que podem realizar, portanto, a maioria não pensa detalhadamente em tudo. Os pesquisadores chamam isso de "falácia do planejamento". Visualizar o processo – dividir um objetivo grande nos passos necessários para alcançá-lo – ajuda a engajar o pensamento estratégico necessário para planejar e alcançar resultados extraordinários. É por isso que Ajustar o Objetivo ao Agora realmente funciona.

Eu tenho esse diálogo todo dia. Ele funciona especialmente bem quando alguém me pergunta o que deve fazer. Eu inverto a situação: "Antes de responder, quero perguntar uma coisa: aonde você está indo e onde você quer estar algum dia?" Todas as vezes, enquanto as oriento para Ajustar o Objetivo ao Agora, elas entendem rapidamente e descobrem suas próprias respostas, e, quando me dizem a Única Coisa que deveriam estar fazendo agora, eu pergunto, rindo: "Então por que ainda está conversando comigo?"

O último passo é anotar suas respostas. Muito já foi escrito sobre anotar objetivos, e por um motivo muito bom: isso funciona.

Em 2008, a Dra. Gail Matthews, da Universidade Dominicana da Califórnia, recrutou 267 participantes vindos de uma ampla variedade de profissões (advogados, contadores, empregados de organizações sem fins lucrativos, profissionais de marketing, etc.) e de vários países. Os que anotaram seus objetivos tiveram 39,5% a mais de probabilidade de realizá-los. Anotar os objetivos e sua prioridade mais importante é o último passo para viver de acordo com a prioridade.

GRANDES IDEIAS

1. **Só pode haver UMA.** Sua prioridade mais importante é a Única Coisa que você pode fazer neste momento e que irá ajudá-lo a alcançar o que é mais importante para você. Você pode ter muitas "prioridades", mas bem no fundo descobrirá que sempre há uma que é mais importante, sua prioridade máxima – sua Única Coisa.
2. **Ajuste o Objetivo ao Agora.** Você começa sabendo qual é seu objetivo futuro. Identificar os passos que precisam ser dados no caminho mantém seu pensamento claro enquanto você descobre a prioridade certa para realizar agora.
3. **Escreva.** Anote seus objetivos e os mantenha sempre por perto.

Direcione seu propósito para uma prioridade única estabelecida quando Ajustar o Objetivo ao Agora, e essa prioridade – a Única Coisa que você pode fazer de modo que, ao fazê-la, todo o resto se torne mais fácil ou desnecessário – vai lhe mostrar o caminho para resultados extraordinários.

E, assim que você souber o que fazer, só vai faltar passar do saber para o fazer.

15 VIVER PARA A PRODUTIVIDADE

> "Produtividade não é o mesmo que se matar de tanto trabalho, permanecer ocupado ou virar noites... tem mais a ver com prioridades, planejamento e a proteção feroz do seu tempo".
>
> – Margarita Tartakovsky

A história de Ebenezer Scrooge poderia ser uma nota de rodapé na história literária não fosse o seguinte: ele agiu. Apaixonado por seu novo propósito e fortalecido por uma prioridade capaz de realizá-lo, ele se levantou e foi em frente.

A ação produtiva transforma vidas.

Você nunca vai ouvir alguém gritar "Vamos ser produtivos!" num filme enquanto a cavalaria avança sobre a colina. Não é a primeira frase que um treinador, um gerente ou um general escolhe usar como estímulo para provocar uma emoção profunda e inspirar as tropas. Não é o que você diz a si mesmo quando respira fundo e mergulha num desafio ou enfrenta a concorrência. E Dickens jamais fez Scrooge dizer essas palavras enquanto assumia o comando da sua vida transformada. No entanto, *produtivo* é exatamente o que Scrooge passou a ser, e não existe palavra melhor do que *produtividade* para descrever o que você deseja obter a partir do que você faz quando o resultado é importante.

Sempre estamos fazendo alguma coisa: trabalhando, brincando, comendo, dormindo, andando, respirando. Se estamos vivos, estamos fazendo alguma coisa. Mesmo não fazer nada é fazer alguma coisa. A questão nunca, jamais, é se estamos fazendo alguma coisa, e sim o que estamos fazendo. E, quando isso acontece, o que fazemos define nossa vida mais do que qualquer coisa. No fim das contas, construir uma vida de resultados extraordinários é simplesmente obter o máximo a partir do que você faz quando o que você faz importa.

Viver para a produtividade produz resultados extraordinários.

Sempre que ensino sobre produtividade, eu começo perguntando:

– Que tipo de sistema de gestão do tempo vocês usam?

As respostas são tão variadas quanto o número de pessoas na sala: agenda de papel, agenda eletrônica, planner, aplicativos... tudo que você imaginar. Depois, pergunto:

– E como você escolheu o seu?

Os motivos citados chegam em todas as formas, tamanhos, cores, preços e critérios imagináveis. Mas invariavelmente os estudantes descrevem o formato, e não a função: o que eles são, e não como funcionam. Então digo:

– Isso é ótimo, mas que tipo de *sistema* vocês usam?

E a resposta é sempre a mesma:

— Como assim?

E eu pergunto:

— Bom, se todo mundo tem a mesma quantidade de tempo e alguns ganham mais do que outros, será que podemos dizer que o que determina quanto ganhamos é a maneira de usar o tempo? — Todo mundo sempre concorda, por isso eu continuo: — Se isso é verdade, se tempo é dinheiro, o melhor modo de descrever um sistema de administração do tempo deve ser simplesmente pelo dinheiro que ele gera. Então vocês acham que estão usando o sistema de 10 mil dólares por ano? O de 20 mil dólares por ano? O de 50 mil, de 100 mil ou de 500 mil dólares por ano? Estão usando o sistema de mais de 1 milhão de dólares?

Silêncio.

Até que, inevitavelmente, alguém pergunta:

— Como podemos saber?

E eu respondo:

— Quanto você ganha?

Se o dinheiro é uma metáfora para a produção de resultados, a coisa fica clara: o sucesso de um sistema de administração do tempo pode ser avaliado pela produtividade que ele gera.

O estranho com relação à minha vida é que nunca trabalhei para alguém que não fosse milionário ou não tenha se tornado um. Eu não determinei isso. Simplesmente aconteceu. E o mais importante que aprendi com essas experiências foi que as pessoas mais bem-sucedidas são as mais produtivas.

As pessoas produtivas realizam mais, alcançam melhores resultados e ganham

"Meu objetivo não é mais fazer mais coisas, e sim ter menos coisas para fazer."

– Francine Jay

FIG. 26 Marque um compromisso consigo mesmo e não deixe de comparecer!

muito mais a partir de suas horas de trabalho do que as outras. Fazem isso porque dedicam o máximo de tempo a ser produtivas em sua prioridade máxima, sua Única Coisa. Estabelecem blocos de tempo para sua Única Coisa e depois protegem ferozmente essas reservas. Elas entenderam a relação entre o trabalho consistente com seus blocos de tempo e os resultados extraordinários que buscam.

BLOCOS DE TEMPO

Eu costumo dizer que venho de "uma longa linhagem de pessoas letárgicas". Isso sempre arranca algumas risadas, mas é verdade. Às vezes parece que meus genes têm mais em comum com a tartaruga do que com a lebre. Enquanto isso, algumas pessoas com quem trabalho são tão cheias de energia que chegam a vibrar. Fico espantado ao vê-las fazendo horas extras durante longos períodos sem nunca se cansar. Quando tento fazer o mesmo, em menos de uma semana meu corpo simplesmente desmorona. Descobri que, por mais que eu tente, não consigo usar mais tempo como o meio principal para fazer mais. Simplesmente não é possível para mim. Assim, com minhas restrições, precisei encontrar um modo de ser extremamente produtivo nas horas em que *consigo* trabalhar.

A solução? Estabelecer blocos de tempo.

A maioria das pessoas acha que nunca tem tempo suficiente para alcançar o sucesso, mas isso muda quando você usa o sistema de blocos. Estabelecer blocos de tempo é enxergar e usar o tempo com orientação para os resultados. É garantir que o que precisa ser feito seja feito. Alexander Graham Bell disse: "Concentre todos os seus pensamentos no trabalho que está à sua frente. Os raios de sol só produzem fogo se forem concentrados." O sistema de blocos de tempo reúne sua energia e a centraliza em seu trabalho mais importante. É o melhor recurso de produtividade.

Pegue sua agenda e reserve, em blocos, todo o tempo necessário para realizar sua Única Coisa. Se é uma Única Coisa a ser feita apenas uma vez, reserve as horas e os dias. Se for algo a ser feito regularmente, reserve o tempo adequado todos os dias, de modo a se tornar um hábito. Todo o resto – outros projetos, papelada, e-mails, telefonemas, correspondência, reuniões, todas as outras coisas – precisa esperar. Quando você estabelece blocos de tempo, está criando o dia mais produtivo possível de um modo que pode ser reproduzido todos os dias pelo resto da sua vida.

Infelizmente, se você é como a maioria, seu dia típico talvez seja como a figura 27, quando você se pega tendo cada vez menos tempo para se concentrar no que é mais importante.

O dia das pessoas mais produtivas é radicalmente diferente (ver figura 28).

Se uma atividade gera resultados desproporcionais, você precisa dedicar um tempo desproporcional a essa atividade. Todo dia faça esta Pergunta de Foco para o bloco de tempo que você estabeleceu: *Qual é a Única Coisa que posso fazer hoje por minha Única Coisa de modo que, ao fazê-la, todo o resto se torne mais fácil ou desnecessário?* Quando encontrar a

DIA COMUM

FIG. 27 Todas as Outras Coisas dominam o seu dia!

resposta, você estará realizando a atividade mais fundamental para o seu trabalho mais fundamental.

É assim que os resultados se tornam extraordinários.

Pela minha experiência, as pessoas que fazem isso são as que não somente se tornam as mais realizadas, mas as que também têm mais oportunidades de carreira. Aos poucos, porém com segurança, elas passam a ser conhecidas em sua organização por sua Única Coisa e se tornam "insubstituíveis". Ninguém consegue imaginar nem tolerar o custo de perdê-las. (Por sinal, o oposto é igualmente verdadeiro para os que se perdem na terra do Todas as Outras Coisas.)

Assim que tiver feito sua Única Coisa do dia, você pode dedicar o resto do tempo a todo o resto. Só use a Pergunta

DIA PRODUTIVO

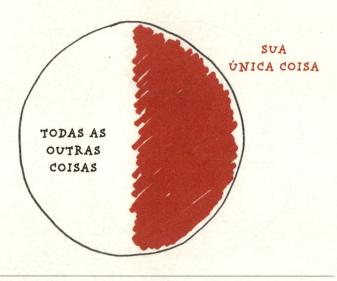

FIG. 28 Sua Única Coisa tem disponível o tempo que merece!

de Foco para identificar a prioridade seguinte e dar a ela o tempo merecido. Repita essa estratégia até o fim do seu dia de trabalho. Fazer "todas as outras coisas" pode ajudar você a dormir melhor à noite, mas é improvável que lhe garanta uma promoção.

O sistema de blocos de tempo funciona segundo a premissa de que uma agenda registra compromissos, mas não se importa com a pessoa com quem você tem aquele compromisso. Assim, quando você souber qual é sua Única Coisa, marque um compromisso consigo mesmo para realizá-la. Todos os dias, grandes vendedores fecham vendas, grandes programadores programam e grandes pintores pintam. Isso serve para qualquer profissão e qualquer cargo. O grande sucesso acontece quando todos os dias dedicamos tempo a nos tornarmos grandes.

Para alcançar resultados extraordinários e conhecer a grandiosidade, estabeleça blocos de tempo para estas três coisas, nesta ordem:

1. Seu tempo livre
2. Sua Única Coisa
3. Seu tempo de planejamento

1. RESERVE BLOCOS DE TEMPO PARA O SEU TEMPO LIVRE

As pessoas extraordinariamente bem-sucedidas iniciam o ano separando um tempo para planejar seu tempo livre. Por quê? Elas sabem que vão precisar dele e que poderão se dar a esse luxo. Na verdade, as pessoas mais bem-sucedidas simplesmente se veem como alguém que trabalha entre dois períodos de férias. Já as menos bem-sucedidas não reservam tempo de folga porque acham que não merecem ou não poderão se dar a esse luxo. Ao planejar antecipadamente o tempo livre, você está, na verdade, administrando seu tempo de trabalho a partir do seu tempo de folga, e não o contrário. Além disso, você faz com que todo mundo saiba antecipadamente quando estará fora, de modo que as pessoas possam fazer planos de acordo com isso. Quem pretende alcançar o sucesso começa protegendo o tempo necessário para se recarregar e se recompensar.

Tire tempo de folga. Crie blocos de fins de semana prolongados e férias prolongadas e os aproveite. Depois disso, você estará mais descansado, mais relaxado e mais produtivo. Tudo precisa de pausa para funcionar melhor, e você não é diferente.

BLOCOS DE TEMPO

SEG	TER	QUA	QUI	SEX	SAB	DOM
1 SUA ÚNICA COISA	2 SUA ÚNICA COISA	3 SUA ÚNICA COISA	4 SUA ÚNICA COISA	5 SUA ÚNICA COISA	6	7 PLAN.
8 SUA ÚNICA COISA	9 SUA ÚNICA COISA	10 SUA ÚNICA COISA	11	12 ← FÉRIAS →	13	14
15 SUA ÚNICA COISA	16 SUA ÚNICA COISA	17 SUA ÚNICA COISA	18 SUA ÚNICA COISA	19 SUA ÚNICA COISA	20	21 PLAN.
22 SUA ÚNICA COISA	23 SUA ÚNICA COISA	24 SUA ÚNICA COISA	25 SUA ÚNICA COISA	26 SUA ÚNICA COISA	27	28 PLAN.

FIG. 29 Seu calendário para os blocos de tempo.

Descansar é tão importante quanto trabalhar. Existem alguns exemplos de pessoas bem-sucedidas que violam esse princípio, mas elas não são os nossos modelos de comportamento. Elas têm sucesso *apesar* do tempo para descansar e se renovar, e não por causa disso.

2. RESERVE BLOCOS DE TEMPO PARA SUA ÚNICA COISA
Depois dos blocos de tempo para o tempo livre, estabeleça blocos de tempo para sua Única Coisa. Sim, você

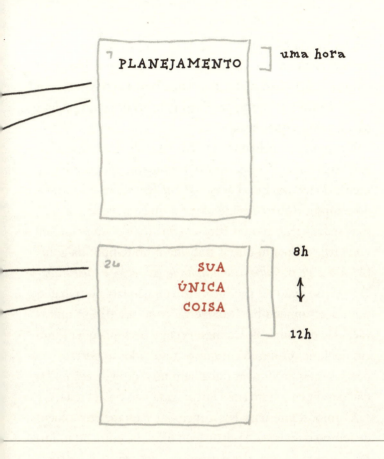

leu certo. Seu trabalho mais importante vem em segundo lugar. Por quê? Porque você não pode sustentar o sucesso com felicidade em sua vida profissional se negligenciar seu tempo de "recriação" pessoal. Estabeleça blocos de tempo para seu tempo de folga e depois crie tempo para sua Única Coisa.

As pessoas mais produtivas, as que obtêm resultados extraordinários, programam os dias a partir da sua Única Coisa. O compromisso mais importante a cada dia é consigo mesmas e elas jamais deixam de cumpri-lo. Se completarem sua Única Coisa antes que o bloco de tempo esteja terminado, não encerram necessariamente o dia. Usam a Pergunta de Foco para saber como podem usar o tempo que sobra.

De modo semelhante, se têm um objetivo específico para sua Única Coisa, elas o terminam, independentemente do tempo. Em *A Geography of Time* (Uma Geografia do tempo), Robert Levine observa que a maioria das pessoas trabalha no tempo "do relógio" (*São cinco horas, até amanhã*), enquanto outras trabalham no tempo "da ação" (*Meu dia de trabalho acaba quando eu acabo o meu trabalho*). Pense nisso. O produtor de leite não larga o trabalho num determinado horário; ele vai para casa depois que as vacas são ordenhadas. É a mesma coisa para qualquer cargo em qualquer profissão em que os resultados importam. As pessoas mais produtivas trabalham no tempo da ação. Elas não param enquanto sua Única Coisa não estiver feita.

O importante para isso funcionar é <u>estabelecer blocos de tempo o mais cedo possível no dia</u>. Tire entre 30 minutos e 1 hora para cuidar das prioridades matinais e depois passe para sua Única Coisa.

Minha recomendação é reservar <u>um bloco de quatro horas por dia</u>. Não é erro de digitação. Repito: *quatro horas* por dia. Sinceramente, esse é o mínimo. Se puder fazer mais, faça.

> "Dia, subst. masc. Período de 24 horas, a maior parte desperdiçada."
>
> – Ambrose Bierce

Em *Sobre a escrita*, Stephen King descreve seu fluxo de trabalho: "Minha programação é bastante simples. As manhãs são para o trabalho novo: a criação atual. As tardes são para cochilos e cartas. As noites, para a leitura, a família, os jogos dos Red Sox na TV e qualquer revisão que não possa esperar. Basicamente, as manhãs são meu principal horário para escrever." Quatro horas por dia podem assustar você mais do que os romances de King, mas não é possível questionar os resultados dele. Stephen King é um dos escritores mais bem-sucedidos e prolíficos de nosso tempo.

Quando conto essa história, sempre aparece alguém para dizer:

— Para o Stephen King é fácil: ele é o Stephen King!

E eu simplesmente respondo:

— Acho que a pergunta que você deve se fazer é a seguinte: ele faz isso porque é o Stephen King ou é o Stephen King porque faz isso?

E assim se encerra a discussão.

Como muitos outros escritores de sucesso, no início da carreira King precisou encontrar blocos de tempo onde fosse possível – de manhã, à tarde, até durante o almoço –, porque o trabalho que pagava suas contas não dava espaço para a ambição da sua vida. Assim que os resultados extraordinários começaram a aparecer e foi possível ganhar a vida com sua Única Coisa, ele conseguiu transferir seus blocos de tempo para um horário mais sustentável.

Uma assistente executiva da nossa equipe passou recentemente a estabelecer grandes blocos de tempo para um determinado projeto. No início, foi estressante. Alertas de e-mail soavam, colegas chegavam, membros da equipe viviam requisitando seu tempo. E essas coisas nem eram distrações – eram seu trabalho. No final, ela precisou pegar um laptop emprestado e reservar uma sala de reuniões para escapar dos focos de incêndio cons-

> "Eficiência é fazer uma coisa do jeito certo. Eficácia é fazer a coisa certa."
>
> – Peter Drucker

tantes e dos pedidos aleatórios e sem urgência. Mas em apenas uma semana todo mundo se acostumou com o fato de que ela não estaria disponível. E todos se ajustaram a isso. Levou uma semana. Não um mês ou um ano: *uma semana*. As reuniões foram remarcadas e a vida seguiu. E ela deu um salto gigantesco em produtividade.

Não importa quem você seja, os blocos de tempo grandes funcionam.

O artigo "Maker's Schedule, Manager's Schedule" (Agenda do executor, agenda do gestor), publicado por Paul Graham em 2009, enfatiza a necessidade de blocos de tempo grandes. Um dos fundadores da inovadora empresa de capital de risco Y Combinator, Graham argumenta que a cultura empresarial normal atrapalha a própria produtividade que ela busca por causa de como as pessoas programam tradicionalmente o seu tempo (ou têm permissão para programar).

Graham divide todo o trabalho em dois baldes: do executor (fazer ou criar) e do administrador (supervisionar ou dirigir). O tempo do "executor" exige grandes blocos do relógio para escrever códigos, desenvolver ideias, gerar avanços, recrutar pessoas, produzir produtos ou executar projetos e planos. Esse tempo costuma ser observado em incrementos de meio dia. O tempo do "gestor", por outro lado, é dividido em horas. Geralmente, esse tempo faz com que a pessoa vá de reunião em reunião, e, como os que supervisionam ou dirigem costumam ter poder e autoridade, "eles estão em condições de fazer todo mundo acompanhar seu ritmo". Isso pode criar um conflito gigantesco nas pessoas que precisam de tempo de executor e são levados para reuniões a qualquer hora, destruindo os próprios blocos de tempo de que precisam para avançar e levar a empresa adiante. Graham abraçou essa ideia e criou uma cultura empresarial na Y Combinator, que agora funciona totalmente numa agenda de executor. Todas as reuniões são agrupadas no fim do dia.

Para experimentar resultados extraordinários, <u>seja um executor de manhã e um gestor à tarde</u>. Seu objetivo é "focar e fazer" uma Única Coisa. Mas, se você não estabelecer blocos de tempo a cada dia para a sua Única Coisa, seu *foco* não chegará a *feito*.

3. RESERVE BLOCOS DE TEMPO PARA PLANEJAMENTO

A última prioridade para a qual você determina blocos de tempo é o planejamento. É então que você pensa em onde está e para onde quer ir. Para o planejamento anual, programe esse tempo suficientemente tarde no ano para ter um senso da sua trajetória, mas não tão tarde a ponto de perder a largada na corrida do ano seguinte. Dê uma olhada em seus objetivos para algum dia e nos de cinco anos e avalie o que precisa fazer no próximo ano para permanecer na trilha. Você até pode acrescentar novos objetivos, revisar os antigos ou eliminar algum que não reflita mais seu propósito ou suas prioridades.

<u>Reserve um bloco de uma hora por semana para revisar seus objetivos anuais e mensais</u>. Primeiro pergunte o que precisa acontecer naquele mês para você continuar no caminho em direção aos objetivos anuais. Depois, pergunte o que precisa acontecer naquela semana para estar no caminho dos seus objetivos mensais. Essencialmente você estará perguntando: "Baseado em onde estou agora,

qual é a Única Coisa que preciso fazer esta semana para permanecer no caminho do meu objetivo mensal e para que o meu objetivo mensal esteja no caminho do meu objetivo anual?" Você estará enfileirando suas peças de dominó. Decida de quanto tempo precisará para alcançar isso e reserve essa quantidade de tempo na agenda. Na verdade, você poderia dizer que, quando estabelece blocos de tempo para o seu tempo de planejamento, está criando blocos de tempo para criar blocos de tempo. Pense nisso.

Em julho de 2007, o programador Brad Isaac contou um segredo da produtividade que supostamente recebeu do comediante Jerry Seinfeld. Antes que Seinfeld fosse um nome conhecido e quando ainda fazia turnês regulares, Isaac o encontrou num clube de comédia que abria espaço para participantes amadores e pediu conselho sobre como ser um comediante melhor. Seinfeld disse que o fundamental era escrever piadas (dica: a Única Coisa dele!) *todo* dia. E o modo que ele tinha bolado para fazer com que isso acontecesse era pendurar um enorme calendário anual na parede e depois colocar um grande X vermelho todos os dias em que trabalhasse no seu ofício. "Depois de alguns dias você vai ter uma corrente", disse Seinfeld. "Continue assim e a corrente vai crescer todo dia. Você vai gostar de ver a corrente, em especial quando já tiver algumas semanas. Seu único objetivo é não quebrar a corrente. *Não quebre a corrente.*"

O que eu adoro no método de Seinfeld é que ele combina com tudo que sei que é verdade. É simples. É baseado em fazer uma Única Coisa e cria seu próprio ímpeto. Você poderia olhar para o calendário e ficar desanimado: "Como posso me comprometer com isso durante um ano inteiro?" Mas o sistema é projetado para trazer seu maior objetivo para o agora e simplesmente focalizar em fazer o próximo X. Como disse Walter Elliot: "A perseverança não é uma corrida de longa distância; são muitas corridas curtas, uma depois da outra." À medida que você termina essas corridas curtas e produz uma corrente, isso se torna cada vez mais fácil. O ímpeto e a motivação começam a assumir o controle.

É mágico derrubar sua peça de dominó mais importante um dia após outro. Só não quebre a corrente e siga em frente, um dia após outro, até gerar um hábito poderoso na sua vida: o hábito de estabelecer blocos de tempo. Parece simples? Estabelecer blocos de tempo é simples — se você protegê-los.

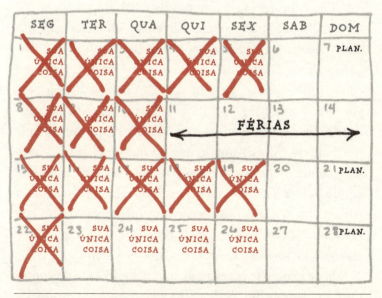

FIG. 30 Os X se somam até chegar a resultados eXtraordinários!

PROTEJA SEUS BLOCOS DE TEMPO

Para que os blocos realmente organizem o tempo, eles devem ser protegidos. Ainda que estabelecer blocos de tempo não seja difícil, proteger o tempo que você organizou é. O mundo não conhece seus propósitos nem suas prioridades e não é responsável por eles. Você que é. Assim, é seu trabalho proteger seus blocos de tempo com relação a todos que não sabem o que é mais importante para você. E com relação a você mesmo, quando você esquecer.

O melhor modo de proteger seus blocos de tempo é adotar a mentalidade de que eles não podem ser movidos. Assim, quando alguém tentar marcar algo para um horário que você reservou num bloco, diga "Sinto muito, já tenho um compromisso para essa hora" e ofereça outras opções. Demonstre empatia, mas não ceda. As pessoas que buscam resultados – as mesmas que recebem mais demandas de tempo – fazem isso. Elas cumprem seu compromisso mais importante.

O mais difícil são as requisições de alto nível. Como dizer não a uma pessoa importante (seu chefe, um cliente fundamental, sua mãe) que pede que você faça alguma coisa com urgência? Um modo é dizer sim e depois perguntar: "Posso fazer isso até [momento específico no futuro]?" Esses pedidos costumam ser mais uma necessidade imediata de repassar uma tarefa do que de tê-la feita imediatamente. A pessoa que pede só quer ter certeza de que aquilo *vai* ser feito. Às vezes o pedido realmente precisa ser feito naquele momento e você tem que largar o que está fazendo. Nessa situação, siga a regra "Se tirar, reponha" e reprograme imediatamente seus blocos de tempo.

E lá está você. Se já acha que tem um excesso de compromissos e de trabalho, pode parecer incrivelmente desafiador cumprir com os blocos de tempo. Pode ser difícil imaginar como todas as outras coisas serão feitas quando tanto tempo é dedicado à Única Coisa. O segredo é internalizar totalmente a queda dos dominós que acontecerá quando sua Única Coisa estiver feita e lembrar que todo o resto que você poderia ou terá que fazer se tornará mais fácil ou desnecessário. Quando comecei a estabelecer blocos de tempo, o que mais me ajudou foi pendurar um papel escrito: "Enquanto minha única coisa não estiver feita, todo o resto é distração!" Experimente fazer isso. Coloque onde você possa vê-lo e onde os outros também vejam. Depois, torne isso o mantra que você diz a si mesmo e a todo mundo. Com o tempo, os outros começarão a entender como você trabalha e a apoiar isso. Observe e verá.

A última situação que pode derrubar seus blocos de tempo é quando você não consegue liberar a mente. Dia sim, dia não, a própria necessidade de fazer outras coisas em vez de sua Única Coisa pode ser o maior desafio a ser superado. A vida não se simplifica no momento em que você simplifica o seu foco; sempre há alguma coisa gritando para ser feita. Sempre. Assim, quando brotam coisas na sua cabeça, simplesmente anote numa lista de tarefas e volte para o que deveria estar sendo feito. Em outras palavras, limpe a mente. Depois coloque o papel fora da vista e da mente até que chegue a hora certa.

No fim das contas, existem muitas maneiras de sabotar seus blocos de tempo. Aqui estão quatro maneiras comprovadas de lutar contra as distrações e permanecer atento à sua Única Coisa:

1. **Construa um bunker.** Encontre um lugar para trabalhar que o tire do caminho das distrações e interrupções. Se você tem uma sala própria, ponha uma placa de "Não

perturbe". Se ela tem paredes de vidro, instale persianas. Se você trabalha num cubículo, consiga permissão para colocar uma divisória dobrável. Se for necessário, vá para outro lugar. O imortal Ernest Hemingway tinha uma programação rígida para escrever, começando às sete horas da manhã em seu quarto. O mortal (mas ainda assim imensamente talentoso) autor de livros de gestão Dan Heath "comprou um laptop velho, apagou todos os navegadores de internet e, para completar, deletou os drivers de rede sem fio" e ia com sua "máquina do passado" até um café, para evitar distrações. Entre os dois extremos, você pode simplesmente encontrar uma sala vazia e fechar a porta.

2. **Armazene provisões.** Tenha à mão qualquer suprimento, material, lanche ou bebida de que você precise e, a não ser por alguma pausa para ir ao banheiro, evite sair do seu bunker. Uma simples ida à maquininha de café pode botar o seu dia a perder, caso você encontre alguma pessoa que deseje torná-lo parte do dia dela.

3. **Elimine armadilhas.** Desligue o telefone, feche o programa de e-mails e saia do navegador da internet. Seu trabalho mais importante merece 100% da sua atenção.

4. **Consiga apoio.** Diga às pessoas que teriam mais probabilidade de procurá-lo o que você está fazendo e quando estará disponível. É incrível como os outros aceitam quando enxergam o quadro geral e sabem quando podem fazer contato com você.

Se, em última instância, você continua travando um cabo de guerra para fazer com que os blocos de tempo funcionem, use a Pergunta de Foco: *Qual é a Única Coisa que eu posso fazer para proteger meus blocos de tempo todos os dias de modo que com isso todas as outras coisas que eu poderia fazer se tornem mais fáceis ou desnecessárias?*

GRANDES IDEIAS

1. **Ligue os pontos.** Os resultados extraordinários se tornam possíveis quando o lugar aonde você quer ir está completamente alinhado com o que você faz hoje. Conecte-se ao seu propósito e permita que a clareza determine suas prioridades. Com as prioridades claras, o único caminho lógico é partir para o trabalho.
2. **Estabeleça blocos de tempo para sua Única Coisa.** O melhor modo de fazer sua Única Coisa funcionar é marcar compromissos regulares com você mesmo. Estabeleça blocos de tempo no início do dia – e que sejam blocos grandes: nada menos do que quatro horas! Pense nisso do seguinte modo: se os seus blocos de tempo estivessem sob julgamento, sua agenda teria provas para condená-lo?
3. **Proteja seus blocos de tempo a todo custo.** Os blocos de tempo só funcionam se o seu mantra for "Nada nem ninguém tem permissão de me distrair da minha Única Coisa". Infelizmente, sua decisão não impedirá que o mundo tente, por isso seja criativo quando puder e firme quando precisar. Seu bloco de tempo é o compromisso mais importante do seu dia, portanto você precisa fazer o que for preciso para protegê-lo.

As pessoas que alcançam resultados extraordinários não os alcançam trabalhando um número maior de horas. Conseguem isso fazendo mais nas horas em que trabalham.

Bloco de tempo é uma coisa; bloco de tempo produtivo é outra.

VIVER PARA A PRODUTIVIDADE

16 OS TRÊS COMPROMISSOS

"Ninguém jamais se arrependeu de ter dado o melhor de si."

– George Halas

Alcançar resultados extraordinários com o sistema de blocos exige três compromissos. Primeiro, você precisa adotar a mentalidade de alguém que busca a excelência. A excelência é um compromisso de se tornar o melhor possível. Assim, para alcançar resultados extraordinários você deve abraçar o esforço extraordinário que isso representa. Segundo, você deve buscar continuamente os melhores modos de fazer as coisas. Nada é mais inútil do que dar o máximo de si usando uma abordagem incapaz de entregar resultados equivalentes ao seu esforço. E, finalmente, você precisa estar disposto a se responsabilizar por tudo que pode fazer para alcançar sua Única Coisa. Viva segundo esses compromissos e se dê uma chance de experimentar o extraordinário.

OS TRÊS COMPROMISSOS COM SUA ÚNICA COISA
1. Siga o Caminho da Excelência
2. Mude de "E" para "P"
3. Viva o Ciclo de Responsabilidade

1. SIGA O CAMINHO DA EXCELÊNCIA
Excelência não é uma palavra que ouvimos com frequência ultimamente, mas continua fundamental como sempre para a obtenção de resultados extraordinários. Por mais intimidante que possa parecer a princípio, quando você consegue ver a excelência como um caminho a percorrer em vez de um destino, ela começa a parecer alcançável. A maioria das pessoas presume que a excelência é um resultado final, mas no fundo ela é um modo de pensar, um modo de agir e uma jornada que você vive. Quando o que você escolheu dominar é a coisa certa, buscar a excelência nessa coisa tornará todo o resto que você faz mais fácil ou desnecessário. É por isso que aquilo em que você escolhe ser magistral é importante.

A excelência tem um papel fundamental na sua derrubada de dominós.

Acredito que o ponto de vista saudável da excelência é dar o máximo de que você é capaz para o seu trabalho mais importante. É o caminho de um aprendiz aprendendo e reaprendendo o básico numa interminável jornada de experiência e perícia cada vez maiores. Pense assim: em determinado ponto, os alunos de faixa branca que treinam para avançar no caratê conhecem os mesmos movimentos básicos dos faixas pretas – apenas não treinaram o suficiente para realizá-los bem. A criatividade que a gente vê no nível de faixa preta resulta do domínio dos fundamentos da faixa branca. Uma vez que sempre há outro nível para aprender, a excelência significa que você é mestre do que conhece e aprendiz do que não conhece. Em outras palavras, nós nos tornamos mestres do que está atrás de nós e aprendizes do que está à frente. Por isso a excelência é uma jornada. Alex Van Halen contou que, quando saía à noite, seu irmão, Eddie, ficava sentado na cama praticando guitarra, e quando ele chegava em casa, várias horas depois, Eddie estava no mesmo lugar, ainda praticando. Assim é o caminho da excelência. Ele jamais termina.

Em 1993, o psicólogo K. Anders Ericsson publicou "The Role of Deliberate Practice in the Acquisition of Expert Performance" (O papel do treino deliberado na aquisição do desempenho com perícia) no periódico *Psychological Review*. Como um marco para o entendimento da excelência, esse artigo derrubou a ideia de que alguém que desempenhava de modo excepcional era *talentoso*, tinha um *dom* natural ou era mesmo um *prodígio*. Ericsson nos deu essencialmente as primeiras percepções verdadeiras sobre a excelência e apresentou a ideia da "regra das 10 mil horas". Sua pesquisa identificou um padrão comum, de prática regular e deliberada no decorrer de anos, que tornava os profissionais de elite quem eles eram: uma elite. Num estudo, violinistas de elite haviam se destacado de todos os outros acumulando mais de 10 mil horas de treino antes de completar 20 anos. Daí veio a regra. Muitos profissionais de elite completam a jornada em cerca de dez anos. O que, se você fizer as contas, dá uma média de cerca de três horas de treino deliberado por dia, todos os dias, 365 dias por ano.

Agora, se a sua Única Coisa se relaciona com o trabalho e você trabalha 250 dias por ano (cinco dias por semana durante 50 semanas), para manter o ritmo da sua jornada para a excelência você precisará de uma média de quatro horas por dia. Soa familiar? Não é um número aleatório. É a quantidade de tempo que você precisa separar diariamente num bloco para sua Única Coisa.

A expertise depende, mais do que qualquer outra coisa, da quantidade de horas investidas. Michelangelo disse: "Se as pessoas soubessem quanto precisei trabalhar para chegar à excelência, não pareceria uma coisa nem um pouco maravilhosa." Seu argumento é óbvio: o tempo investido numa tarefa, durante determinado período, acaba sendo mais importante do que o talento. Eu diria que você pode "anotar isso", mas na verdade você deve "colocar isso num bloco".

Quando você se comprometer em estabelecer blocos de tempo para sua Única Coisa, pense nisso com a mentalidade de excelência. Essa postura vai lhe dar a melhor oportunidade para ser o mais produtivo possível e, em última instância, se tornar o melhor que você pode ser. E o interessante é o seguinte: quanto mais produtivo você é, mais provável será que receba várias recompensas adicionais que, de outro modo, deixaria escapar. A busca pela excelência rende benefícios.

À medida que você progride no caminho da excelência, sua autoconfiança e sua competência para o sucesso irão crescer. Você fará uma descoberta: o caminho da excelência não é muito diferente de passar de uma busca para a próxima. O que pode surpreendê-lo de modo agradável é que se dedicar à excelência de uma Única Coisa serve como plataforma para outras, além de acelerar o processo para alcançá-las. Conhecimento atrai conhecimento e habilidades se constroem sobre habilidades. É isso que faz com que os dominós futuros caiam mais facilmente.

Excelência é uma busca que sempre dá retorno, porque é um caminho que não termina jamais. Eu seu livro *Maestria*, que representou um marco divisório, George Leonard conta a história de Jigoro Kano, criador do judô. Segundo a lenda, quando estava perto da morte, Kano chamou seus alunos e pediu para ser enterrado com sua faixa branca. O simbolismo não passou despercebido. O artista marcial de maior nível em sua disciplina abraçou o emblema do principiante para sua vida e mais além, porque para ele a jornada de quem aprende durante toda a vida jamais termina. Estabelecer blocos de tempo é essencial para a excelência, e a excelência é essencial para estabelecer blocos de tempo. As duas coisas andam de mãos dadas – quando você faz uma, faz a outra.

2. MUDE DE "E" PARA "P"

Quando estou dando treinamento para realizadores de alto nível, costumo perguntar: "Você está simplesmente fazendo o melhor que pode ou do melhor modo que pode ser feito?" A intenção da pergunta não é capciosa, mas mesmo assim as pessoas tropeçam. Muitas percebem que, apesar de empenharem o máximo de esforço, não estão fazendo o melhor que pode ser feito porque não estão dispostas a mudar o que estão fazendo. O caminho para a excelência em alguma coisa é não somente fazer o melhor que você pode, mas também fazer o melhor que pode ser feito. Melhorar continuamente o modo como você faz uma coisa é fundamental para obter o máximo dos blocos de tempo.

Chamo isso de mudar de "E" para "P".

Quando saímos da cama de manhã, podemos enfrentar o dia de dois modos: Empreendedor ("E") ou com Propósito ("P"). Nosso natural é o modo empreendedor. Vemos alguma coisa que queremos fazer ou que precise ser feita e partimos para fazê-la com entusiasmo, energia e nossas capacidades naturais. Não importando a tarefa, toda capacidade natural tem um teto de realização, um nível de produtividade e de sucesso que em algum momento chega ao limite. Ainda que isso varie de pessoa para pessoa e de uma tarefa para outra, todo mundo tem um limite natural para tudo na vida. Dê um martelo a uma pessoa e ela se torna instantaneamente um carpinteiro. Se me derem um martelo, eu não vou conseguir fazer nada. Em outras palavras, algumas pessoas conseguem naturalmente usar um martelo muito bem tendo um mínimo de instrução ou treino, mas outras, como eu, batem em seu limite de realização só de pegar no martelo. Se o resultado dos seus esforços é aceitável em qualquer nível de realização que você alcance, você comemora e vai em frente. Mas, quando você está cuidando da sua Única Coisa, qualquer limite de realização deve ser desafiado, e isso exige uma abordagem diferente: a abordagem com Propósito.

As pessoas altamente produtivas não aceitam que as limitações da sua abordagem natural sejam a palavra final para o sucesso. Quando batem num teto de realização, procuram novos modelos e sistemas, melhores maneiras de fazer as coisas para ultrapassar a barreira. Param apenas por tempo suficiente para examinar as opções e escolhem a melhor, depois voltam ao trabalho. Peça a um "E" que corte um pouco de lenha e ele provavelmente vai pegar um machado e ir direto para a floresta. Já um "P" é capaz de perguntar: "Onde eu consigo uma motosserra?" Com a mentalidade "P", você pode fazer descobertas e realizar coisas que estão muito além das suas habilidades naturais. Você deve simplesmente se dispor a fazer o que for necessário.

Você não pode colocar limites ao que fará. Precisa estar aberto a novas ideias e novas maneiras de realizar as coisas se quiser fazer avanços revolucionários na vida. Enquanto viaja no caminho da excelência, você será desafiado continuamente a fazer coisas novas. A pessoa com Propósito segue a regra simples de que "para um resultado diferente é necessário fazer algo diferente". Transforme isso em seu mantra e os avanços revolucionários se tornam possíveis.

Muitas e muitas pessoas chega a um nível em que seu desempenho é "bom o suficiente" e param de se esforçar para

ABORDAGEM EMPREENDEDORA
"Fazer o que é natural"

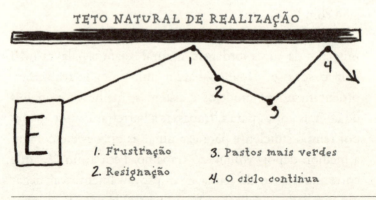

FIG. 31 A longo prazo, o "P" é sempre melhor do que o "E".

ficarem melhores. As que estão no caminho da excelência evitam isso subindo constantemente seu objetivo, desafiando-se a romper o teto atual e permanecendo como eternos aprendizes. É o que o escritor e campeão de memorização Joshua Foer chamava de "Platô OK". Ele ilustrava isso com a atividade de digitação. Se tudo que importasse fosse o tempo de treino, no decorrer da nossa carreira profissional, com os milhões de memorandos e e-mails que digitamos, todos progrediríamos, passando de catadores de milho para digitar 100 palavras por minuto. Mas isso não acontece. Chegamos a um nível de habilidade que consideramos aceitável e simplesmente desligamos o aprendizado. Ligamos o piloto automático e batemos num dos tetos mais comuns da realização: chegamos ao Platô OK.

ABORDAGEM COM PROPÓSITO

"Fazer o que não é natural"

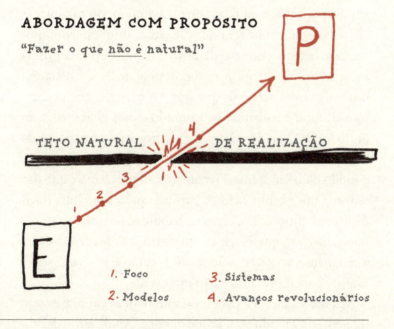

OS TRÊS COMPROMISSOS

Quando você busca resultados extraordinários, aceitar um Platô OK, ou qualquer outro teto de realização, não está OK, se isso estiver relacionado à sua Única Coisa. Quando você quer ultrapassar platôs e tetos, só existe uma abordagem: "P".

Tanto nos negócios quanto na vida pessoal, todos nós começamos de modo empreendedor. Vamos atrás de alguma coisa com nosso nível atual de capacidade, energia, conhecimento e esforço. Resumindo: tudo que vem com facilidade. Agir no modo "E" é confortável porque temos a sensação de ser natural. Afinal, é quem somos no momento e como gostamos de agir no momento.

Mas também é limitador.

Quando só agimos no modo "E", criamos limites artificiais para o que podemos realizar e quem podemos nos tornar. Se partimos para fazer uma coisa no modo totalmente "E" e batemos num teto de realização, simplesmente quicamos e batemos no teto de novo e de novo. Isso continua até que simplesmente não suportamos mais a frustração, nos resignamos achando que isso é o máximo que poderemos alcançar e acabamos procurando pastos mais verdes em outro local. Quando achamos que chegamos ao máximo do nosso potencial numa determinada situação, pensamos que o modo de ir em frente é recomeçar. O problema é que isso se torna um círculo vicioso, partindo para a próxima novidade com entusiasmo, energia, habilidade natural e esforço renovados, até que batemos em outro teto e a frustração e a resignação acontecem de novo. E então é ir – você adivinhou – para o próximo pasto mais verde.

Se você levar o "P" para o mesmo teto, as coisas parecem diferentes. O modo com Propósito diz: "Ainda estou decidido a crescer, então quais são minhas opções?" Aí você usa a

Pergunta de Foco para estreitar essas escolhas até a próxima coisa que deve fazer. Pode ser seguir um novo modelo, obter um novo sistema ou as duas coisas. Mas se prepare, porque implementar essas coisas talvez exija uma mente nova, habilidades novas e até mesmo relacionamentos novos. No início, provavelmente nada disso parecerá natural. Tudo bem. Ter um Propósito implica, geralmente, fazer o que "não é natural", mas, quando você está comprometido em alcançar resultados extraordinários, simplesmente faz o que for necessário.

Quando você fez o melhor que pode mas tem certeza de que os resultados não são os melhores possíveis, saia do "E" e vá para o "P". Procure os melhores modelos e sistemas, os caminhos que podem levá-lo mais longe. Então adote novos pensamentos, novas habilidades e novos relacionamentos que o ajudem a colocá-los em ação. Tenha Propósito durante seu bloco de tempo e realize seu potencial.

3. VIVA O CICLO DE RESPONSABILIDADE

Existe uma ligação inegável entre o que você faz e aonde chega. As ações determinam os resultados e os resultados sugerem as ações. Tenha responsabilidade e, com esse ciclo de feedback, você descobrirá as coisas que precisa fazer para alcançar resultados extraordinários. É por isso que o seu compromisso definitivo é viver o ciclo de responsabilidade pelos resultados.

Ser completamente dono dos seus resultados, considerando-se o único responsável por eles, é a coisa mais poderosa que você pode fazer para alcançar seus objetivos. Assim, a prestação de contas é provavelmente o compromisso mais importante dos três. Sem ela, sua viagem pelo caminho da excelência será interrompida no momento em que você encontrar um desafio. Sem ela, você não vai descobrir como romper os tetos de realização que encontrará pelo caminho. As pessoas responsáveis pelos próprios resultados absorvem os contratempos e continuam em frente. As pessoas responsáveis são orientadas para os resultados e jamais defendem ações, níveis de capacidade, modelos, sistemas ou relacionamentos que simplesmente não estão dando conta do recado. Elas colocam o melhor de si naquilo que for necessário, sem reservas.

<u>Pessoas responsáveis obtêm resultados com os quais as outras apenas sonham.</u>

Você pode ser o autor ou a vítima da sua vida. São as duas únicas opções – ser responsável ou não. Pode parecer cruel, mas é verdade. Todo dia escolhemos uma abordagem ou a outra, e as consequências nos acompanham para sempre.

Para ilustrar a diferença, veja a história de dois gerentes de duas empresas concorrentes que enfrentaram uma súbita mudança no mercado. Num mês há uma fila de clientes na porta; no outro, ninguém aparece. A resposta de cada gerente faz toda a diferença.

A gerente responsável pergunta imediatamente: *O que está acontecendo aqui?* E investiga exatamente o que está enfrentando. O outro gerente se recusa a admitir o que está acontecendo. *É uma bobagem, uma falha minúscula, uma anomalia.* Ele descarta o problema como apenas um "mês ruim". Enquanto isso, a gerente responsável, tendo descoberto que um concorrente está ganhando uma fatia de mercado, trinca os dentes, diz *É isso aí* e assume a responsabilidade pelo problema. *Se é para ser, que seja comigo*, ela pensa. O fato de se dispor a encarar a realidade lhe dá uma vantagem enorme. Isso a coloca em condições de começar a pensar sobre o que pode fazer de modo diferente.

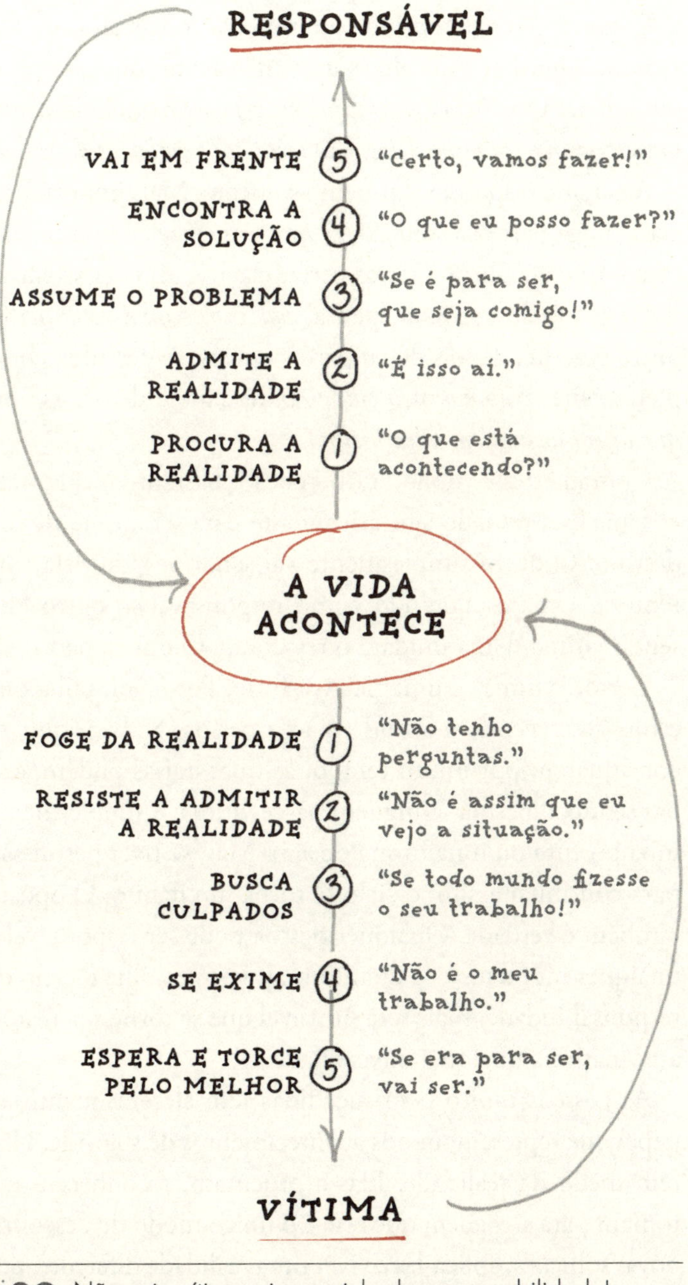

RESPONSÁVEL

- VAI EM FRENTE — ⑤ — "Certo, vamos fazer!"
- ENCONTRA A SOLUÇÃO — ④ — "O que eu posso fazer?"
- ASSUME O PROBLEMA — ③ — "Se é para ser, que seja comigo!"
- ADMITE A REALIDADE — ② — "É isso aí."
- PROCURA A REALIDADE — ① — "O que está acontecendo?"

A VIDA ACONTECE

- FOGE DA REALIDADE — ① — "Não tenho perguntas."
- RESISTE A ADMITIR A REALIDADE — ② — "Não é assim que eu vejo a situação."
- BUSCA CULPADOS — ③ — "Se todo mundo fizesse o seu trabalho!"
- SE EXIME — ④ — "Não é o meu trabalho."
- ESPERA E TORCE PELO MELHOR — ⑤ — "Se era para ser, vai ser."

VÍTIMA

FIG. 32 Não seja vítima, viva o ciclo de responsabilidade!

OS TRÊS COMPROMISSOS

O outro gerente continua lutando contra a realidade. Ele tem um ponto de vista alternativo, não assumindo a responsabilidade. Diz: *Não é assim que eu vejo a situação. Se as pessoas fizessem o trabalho delas, não teríamos problemas desse tipo!*

A gerente responsável procura soluções. Mais importante, ela se julga parte da solução: *O que posso fazer?* No momento em que encontra a tática certa, ela age. *As circunstâncias não vão mudar sozinhas*, pensa, *por isso, vamos adiante!* O outro gerente, depois de culpar os outros, se desculpa completamente. *Não é o meu trabalho*, declara, e decide *esperar que as coisas mudem para melhor*.

Contada desse modo, a diferença é bastante nítida, não é? Uma está tentado agir ativamente para ser autora de seu destino. O outro simplesmente vai sendo levado pela correnteza. Uma está agindo como responsável; o outro está sendo vítima. Uma mudará o resultado. O outro, não.

Certo, "vítima" é uma palavra forte. Por favor, saiba que estou descrevendo a atitude, não a pessoa. Se bem que, se continuarem por muito tempo, as duas coisas podem acabar sendo a mesma. Ninguém nasce vítima; é simplesmente uma postura ou uma forma de agir. Mas, se tiver permissão para continuar assim, o ciclo se torna um hábito. O oposto também é verdade. Qualquer pessoa pode ser responsável a qualquer momento – e quanto mais você escolhe o ciclo de responsabilidade, mais será provável que se torne sua reação automática a qualquer adversidade.

As pessoas muito bem-sucedidas têm clareza quanto ao papel que representam nos acontecimentos de sua vida. Não têm medo da realidade. Elas a procuram, reconhecem e a tomam para si. Sabem que esse é o único modo de descobrir novas soluções, aplicá-las e viver uma realidade diferente, por isso assumem a responsabilidade e seguem com ela. Veem os resultados como informações que podem ser usadas para enquadrar ações melhores com o objetivo de alcançar resultados melhores. É um ciclo que elas entendem e usam para alcançar resultados extraordinários.

Uma das maneiras mais rápidas de se responsabilizar pela sua vida é encontrar um parceiro de prestação de contas. Pode ser um mentor, um colega de trabalho ou um coach. Seja quem for, é fundamental que você tenha alguém a quem prestar contas e dê a essa pessoa permissão para lhe dizer a verdade nua e crua. Um parceiro de prestação de contas não está lá para torcer por você e enaltecê-lo, ainda que ele possa animar você. Um parceiro de prestação de contas fornece feedback franco e objetivo sobre o seu desempenho, cria uma expectativa contínua para o progresso produtivo e pode fornecer ideias fundamentais ou mesmo conhecimentos, quando necessário. Para mim, um coach ou um mentor são os melhores como parceiro de prestação de contas. Ainda que um colega de trabalho ou amigo possa ajudá-lo a ver coisas que você não consegue enxergar, a prestação de contas contínua funciona melhor quando é proporcionada por alguém a quem você concorda realmente em "dar satisfação". Esse tipo de relacionamento é o mais produtivo para isso.

Já falei da pesquisa de Gail Matthews revelando que os indivíduos que escreviam seus objetivos tinham 39,5% a mais de probabilidade de alcançar o sucesso. Mas esse estudo traz mais descobertas interessantes. Os indivíduos que anotavam seus objetivos e mandavam relatórios do progresso para amigos tinham 76,7% a mais de probabilidade de alcançá-los. Por mais que anotar seus objetivos seja eficaz, simplesmente compartilhar regularmente seu progresso com alguém, até mesmo com um amigo, torna você duplamente eficaz.

Prestar contas funciona.

A pesquisa de Ericsson sobre o desempenho de alto nível confirma o mesmo relacionamento entre o desempenho de alto nível e a orientação recebida. Ele observou que "a diferença mais importante entre esses amadores e os três grupos de realizadores de elite é que os futuros realizadores de elite procuram professores e orientadores e fazem treinamento supervisionado, ao passo que os amadores raramente se envolvem em práticas semelhantes".

Um parceiro de prestação de contas vai elevar sua produtividade. Vai manter você nos trilhos e honesto em relação aos resultados. Só de saber que ele está esperando seu próximo relatório de progresso pode estimular você a alcançar resultados melhores. Em termos ideais, um mentor pode orientar você sobre como maximizar o desempenho no correr do tempo. É assim que os melhores se tornam os melhores de todos.

O mentor vai ajudar você em todos os três compromissos com sua Única Coisa. No caminho para a excelência, na viagem do "E" ao "P" e para viver o ciclo de responsabilidade, um mentor é algo valiosíssimo. Na verdade, você acharia difícil encontrar grandes realizadores que não tenham orientadores ajudando-os nas principais áreas da vida.

Nunca é cedo demais nem tarde demais para arranjar um mentor. Comprometa-se a alcançar resultados extraordinários e você descobrirá que um mentor lhe dá a melhor chance possível.

GRANDES IDEIAS

1. **Comprometa-se a ser o melhor que puder.** Os resultados extraordinários só acontecem quando você dá o máximo de si para se tornar o melhor que puder em seu trabalho

mais importante. Em essência, esse é o caminho para a excelência – e, como leva tempo para alcançar a excelência, é necessário comprometimento.

2. **Tenha propósito com relação à sua Única Coisa.** Passe do "E" para o "P". Parta numa busca dos modelos e sistemas que possam levá-lo mais longe. Não se acomode com o que vem naturalmente: esteja aberto a novos pensamentos, novas habilidades e novos relacionamentos. Se o caminho para a excelência é um compromisso com ser o melhor possível, ter propósito é um compromisso com adotar a melhor abordagem possível.
3. **Seja o dono dos seus resultados.** Se o que você quer são resultados extraordinários, ser vítima não funcionará. A mudança só ocorre quando você é responsável. Portanto, saia do banco do carona e assuma o volante.
4. **Encontre um coach ou um mentor.** É difícil encontrar alguém que tenha alcançado resultados extraordinários sem um mentor.

Lembre que não estamos falando de resultados comuns. Estamos atrás dos extraordinários. A maioria das pessoas não consegue esse tipo de produtividade, mas não precisa ser assim. Quando você estabelecer blocos de tempo para sua prioridade mais importante, proteger seus blocos de tempo e trabalhar com o bloco de tempo do modo mais eficaz possível, alcançará o máximo de produtividade. Estará vivendo o poder da Única Coisa.

Agora você só precisa evitar os assaltos.

17 OS QUATRO LADRÕES

> "Ter foco é uma questão de decidir o que não fazer."
>
> – John Carmack

Em 1973, um grupo de alunos de um seminário participou, sem saber, de um estudo grandioso conhecido como "o experimento do bom samaritano". Esses estudantes foram recrutados e divididos em dois grupos para ver que fatores influenciariam a probabilidade de ajudarem ou não um estranho em dificuldades. A alguns foi dito que eles iriam preparar uma palestra sobre trabalhos do seminário; aos outros, que fariam uma palestra sobre a Parábola do Bom Samaritano, uma história bíblica sobre ajudar pessoas que passam por necessidades. Dentro de cada grupo, foi dito a alguns estudantes que eles estavam atrasados e precisavam correr para o seu destino, e a outros foi dito que podiam levar o tempo que quisessem. O que os estudantes não sabiam era que os pesquisadores tinham colocado um homem no caminho – caído no chão, tossindo, aparentemente em dificuldade.

No final, menos de metade dos estudantes parou para ajudar. Mas o fator decisivo não foi a tarefa, foi o tempo: 90% dos estudantes apressados não pararam para ajudar o estranho. Alguns chegaram a passar por cima dele, de tanta pressa. Parecia não importar nada que metade estivesse indo fazer uma palestra sobre ajudar os outros!

Bom, se até seminaristas podem perder o foco sobre sua verdadeira prioridade assim tão fácil, será que o resto das pessoas tem alguma chance?

Sem dúvida, nossas melhores intenções podem ser facilmente desfeitas. Assim como existem as Seis Mentiras que irão enganar você e tirá-lo do caminho, existem Quatro Ladrões que podem sequestrar você e roubar sua produtividade. E, como não há ninguém a postos para protegê-lo, fica por sua conta impedir esses ladrões.

OS QUATRO LADRÕES DA PRODUTIVIDADE
1. Incapacidade de dizer não
2. Medo do caos
3. Maus hábitos de saúde
4. Ambiente que não apoia seus objetivos

1. INCAPACIDADE DE DIZER NÃO
Uma vez me disseram que um sim precisa ser protegido ao longo do tempo por mil nãos. No início da minha carreira, eu não entendia isso. Hoje em dia, acho que mil é pouco.

Uma coisa é ser distraído quando você está tentando se concentrar, outra totalmente diferente é ser sequestrado antes mesmo de começar. Para proteger o seu sim e se manter produtivo, você tem que dizer não a qualquer pessoa ou qualquer coisa capaz de afastá-lo do que você está fazendo.

Conhecidos vão lhe pedir conselho e ajuda, colegas de trabalho vão querer sua colaboração, amigos pedirão uma mãozinha, estranhos vão procurá-lo. Convites e interrupções virão de todos os lugares imagináveis. O modo como você lida com tudo isso determina o tempo que pode dedicar à sua Única Coisa e os seus resultados.

O negócio é o seguinte: quando você diz sim a uma coisa, é fundamental entender a que coisas você está dizendo não. O roteirista Sidney Howard, do filme ... *E o vento levou*, aconselhava: "Metade de saber o que você quer é saber de que coisas você precisa abrir mão antes." Assim, o melhor modo de alcançar um grande sucesso é ter um foco estreito. E quando você tem um foco estreito, você diz não – muitas vezes. Muito mais do que talvez já tenha imaginado.

Ninguém sabia como reduzir o foco mais do que Steve Jobs. Ele era conhecido por ter tanto orgulho dos produtos que não desenvolveu quanto dos produtos transformadores criados pela Apple. Nos dois anos depois de sua volta em 1997 ele reduziu os produtos da empresa de 350 para 10. São 340 nãos, sem contar qualquer outra coisa proposta durante aquele período. Na Convenção de Desenvolvedores MacWorld de 1997, ele explicou: "Quando a gente pensa em focar, pensa: 'Bom, focar é dizer sim.' Não! Focar é dizer não." Jobs buscava resultados extraordinários e sabia que só havia um modo de chegar lá. Jobs era um homem do não.

Por padrão, a arte de dizer sim é a arte de dizer não. Dizer sim a todo mundo é o mesmo que dizer sim a nada. Cada obrigação a mais tira um pedaço da sua eficiência em tudo que você tenta fazer. Assim, quanto mais coisas você faz, menos sucesso você tem em qualquer uma delas. Você não tem como agradar todo mundo, então nem tente. Aliás, quando você tenta, a única pessoa a quem com certeza você não vai agradar é você mesmo.

Lembre que dizer sim à sua Única Coisa é sua prioridade máxima. Desde que você consiga manter isso em perspectiva, dizer não a tudo que o impede de permanecer com seu bloco de tempo deve se tornar algo aceitável.

Então, simplesmente passa a ser uma questão de como.

Todo mundo tem algum grau de dificuldade em dizer não: queremos ser úteis, não queremos causar dor, queremos ser gentis e atenciosos, não queremos parecer insensíveis e frios. Tudo isso é perfeitamente compreensível. Ser necessário é incrivelmente satisfatório, e ajudar os outros pode ser tremendamente satisfatório. Concentrar-se em nossos objetivos excluindo os outros, especialmente as causas e as pessoas que mais valorizamos, pode parecer egoísta e egocêntrico. Mas não precisa ser assim.

O grande profissional de marketing Seth Godin ensina o seguinte: "Você pode dizer não com respeito, pode dizer não imediatamente e pode dizer não sugerindo alguém que talvez diga sim. Mas simplesmente dizer sim porque você não suporta a dor de curto prazo de dizer 'não' não vai ajudá-lo a fazer o trabalho." Godin entende. Você pode manter o seu sim e dizer não de tal forma que satisfaça a si e os outros.

Claro, você sempre pode dizer não e seguir com a sua vida. Não há nada errado com isso. Pelo contrário: essa deve ser sua primeira opção todas as vezes. Mas, se você acha que às vezes precisa dizer não de um modo que ajude o outro, existem muitas maneiras de fazer isso e ainda assim guiar as pessoas em direção aos objetivos delas.

Você pode fazer uma pergunta que as leve a encontrar a ajuda necessária em outro local. Pode sugerir outra abordagem que não exija nenhuma ajuda. Talvez você não saiba o que mais a pessoa pode fazer, então pode ajudá-la instigando-a gentilmente a ser criativa. Pode educadamente redirecionar o pedido a outras pessoas com mais condições de ajudá-la naquele momento.

Agora, se você disser sim, existem vários modos criativos de entregar esse sim – você pode alavancar o sim. Sem esse tipo de pensamento estratégico não existiriam as centrais de ajuda e de informações. Roteiros, arquivos de perguntas frequentes, explicações escritas, instruções gravadas, informações postadas, checklists, catálogos, listagens e sessões de treinamento pré-programadas podem ser usados para dizer sim ao mesmo tempo que você preserva seu bloco de tempo. Foi o que fiz em meu primeiro emprego como gerente de vendas. Programei sessões de treinamento para pensarmos logo nas perguntas mais frequentes, depois as imprimi ou as gravei, criei uma biblioteca de respostas que minha equipe podia acessar quando eu não estivesse pessoalmente por perto.

A maior lição que aprendi é que isso ajuda a ter uma filosofia e uma abordagem para a administração do meu espaço. Com o tempo desenvolvi o que chamo de "Regra dos 90cm". Quando estendo o braço o máximo possível, do pescoço à ponta dos dedos são 90 centímetros. Tornei minha missão de administração do tempo limitar quem e o que pode chegar a 90 centímetros de mim. A regra é simples: para que eu considere um pedido, ele deve estar conectado à minha Única Coisa. Se não estiver, digo não ou uso qualquer uma das táticas citadas para desviá-lo.

Aprender a dizer não não é uma receita para virar uma pessoa reclusa. É um modo de obter as maiores liberdade e flexibilidade possíveis. Seu talento e suas habilidades são recursos limitados. Seu tempo é finito. Se você não orientar sua vida para aquilo a que você diz sim, ela certamente vai se tornar aquilo a que você pretendia dizer não.

Num artigo publicado na *Ebony* em 1977, o comediante Bill Cosby resumiu com perfeição esse ladrão de produtividade. Enquanto desenvolvia sua carreira, Cosby leu um conselho que passou a seguir: "Não sei qual é o segredo do sucesso, mas o segredo do fracasso é tentar agradar a todo mundo." Vale a pena seguir esse conselho. Se você não puder dizer não muitas vezes, jamais será capaz de realmente dizer sim para alcançar sua Única Coisa. É uma coisa ou outra, simples assim. E quem decide é você.

Quando você dá o "Sim!" mais enfático à sua Única Coisa e diz "Não!" vigorosamente ao resto, os resultados extraordinários se tornam possíveis.

2. MEDO DO CAOS

Uma coisa não muito engraçada acontece no caminho para os resultados extraordinários. Inquietação. Confusão. Desordem. Quando trabalhamos em nosso bloco de tempo, a desordem passa a residir em volta.

A bagunça é inevitável quando você se concentra apenas em uma coisa. Enquanto está concentrado em seu trabalho mais importante, o mundo não espera sentado. Ele continua a toda velocidade. As coisas simplesmente se amontoam enquanto você está empenhado em uma única prioridade. Infelizmente, não existe botão de pause nem de stop. Você não pode levar a vida em câmera lenta. Desejar isso só vai lhe trazer sofrimento e decepção.

Um grande ladrão de produtividade é a relutância em permitir o caos ou a falta de criatividade para lidar com ele.

Concentrar-se em uma Única Coisa tem uma consequência garantida: outras coisas não são feitas. Ainda que esse seja exatamente o objetivo, isso não faz a gente se sentir automaticamente melhor. Sempre haverá pessoas e projetos que simplesmente não fazem parte de sua maior prioridade mas ainda assim têm importância. Você vai senti-los insistindo por sua atenção. Sempre haverá trabalho inacabado e pontas soltas ao redor, tentando desviar seu foco. Seu bloco de tempo pode parecer um submarino: quanto mais fundo você se compromete com sua Única Coisa, mais aumenta a pressão para subir em busca de ar e cuidar de tudo que foi deixado na fila de espera. Com o tempo, pode parecer que o menor vazamento é capaz de provocar uma implosão.

Quando isso acontece, quando você cede à pressão de qualquer caos deixado sem atenção, pode até encontrar um alívio incomparável. Mas não para a produtividade.

O caos é um ladrão!

Você compra o pacote fechado. Ao buscar a grandiosidade, você com certeza encontra o caos. Outras áreas da sua vida podem experimentar o caos na proporção direta do tempo que dedica à sua Única Coisa. É importante aceitar isso em vez de lutar contra. O premiado cineasta Francis Ford Coppola alerta que "qualquer coisa que você construa em grande escala ou com paixão intensa é um convite ao caos". Ou seja: acostume-se com ele e vá em frente.

Mas na vida ou no trabalho de qualquer pessoa existem coisas que não podem ser ignoradas: família, amigos, animais de estimação, compromissos pessoais ou projetos profissionais críticos. A qualquer momento você pode ter alguma coisa dessas ou todas elas cutucando seu bloco de tempo. Você não pode abrir mão das suas horas de maior produtividade, isso é fato. Então, o que fazer?

Sempre me perguntam isso. Estou dando uma aula e sei que, assim que terminar, várias pessoas vão levantar a mão.

"O que eu faço se tenho filhos pequenos para criar?"

"E se eu tiver pais idosos que dependem de mim?"

"Tenho obrigações que preciso cumprir, o que faço?"

São perguntas obviamente justas. O que eu digo: dependendo da sua situação, inicialmente seus blocos de tempo podem parecer diferentes dos blocos dos outros. Cada situação é única. Dependendo do ponto em que você está na vida, talvez não seja possível imediatamente separar todas as manhãs para ficar sozinho. Você pode ter um filho, um pai ou uma mãe a reboque. Pode ter que cumprir seu bloco de tempo numa creche, num lar de idosos ou em algum outro lugar onde precise estar. Durante um período, seu tempo a sós pode ser num horário diferente a cada dia. Talvez você precise pedir ajuda a outras pessoas para que elas protejam seu bloco de tempo e você, por sua vez, proteja os deles. Você até pode conseguir que seus filhos ou pais ajudem durante seu bloco de tempo porque eles simplesmente precisam ficar com você ou você na verdade precise da ajuda.

Se precisar pedir, peça. Se precisar trocar, troque. Se precisar ser criativo, seja. Só não seja vítima das circunstâncias. Não sacrifique seu bloco de tempo no altar do "não consigo". Minha mãe sempre dizia: "Quando você defende suas limitações, acaba ficando com elas", mas esse é um luxo ao qual você não pode se dar. Dê um jeito. Faça acontecer.

> "Se uma mesa entulhada é sinal de uma mente entulhada, uma mesa vazia é sinal de quê?"
>
> – Albert Einstein

> "A arte de ser sábio é a arte de saber o que deixar de lado."
>
> – William James

Quando você se compromete com sua Única Coisa a cada dia, os resultados extraordinários acabam acontecendo. Com o tempo isso gera o dinheiro ou as oportunidades para administrar o caos. Assim, não permita que esse ladrão afane sua produtividade. Ultrapasse o medo do caos, aprenda a lidar com ele e confie que o trabalho em sua Única Coisa dará resultado.

3. MAUS HÁBITOS DE SAÚDE

Uma vez me perguntaram: "Se você não cuidar do próprio corpo, onde vai viver?" Era uma pergunta verdadeira. Eu estava lutando com os dolorosos efeitos colaterais de uma cistite intersticial (você não quer saber o que é) e minhas pernas tremiam o tempo todo, resultado debilitante da ação das estatinas contra o colesterol. Minha capacidade de funcionar e, mais ainda, de me concentrar estava extremamente comprometida e o desafio de superar isso era gigantesco. Meu médico me deu algumas opções e perguntou o que eu queria fazer. Minha resposta foi mudar meus hábitos de saúde. Foi quando descobri uma das maiores lições dos resultados extraordinários:

A má gestão da energia pessoal é um ladrão de produtividade sorrateiro.

Quando pedimos emprestado um pedaço do nosso futuro protegendo mal nossa energia, o resultado é previsível: ficar lentamente sem combustível ou entrar em colapso e se exaurir prematuramente. Vemos isso acontecer o tempo todo. Quando as pessoas não entendem o poder da Única Coisa, tentam fazer demais –, e como isso nunca funciona por muito tempo, elas acabam fazendo um acordo terrível consigo mesmas. Buscam o sucesso sacrificando a saúde. Ficam acordadas até tarde, pulam refeições ou se alimentam mal e não fazem nenhuma atividade física. A energia pessoal se transforma em algo para depois; permitir que a saúde e a vida pessoal sejam prejudicados se torna aceitável por padrão. Impelidas a alcançar objetivos, pensam que vale a pena trapacear consigo mesmas, mas essa aposta não vence o jogo. Isso não somente cria um curto-circuito no seu melhor trabalho. É perigoso achar que a saúde e a felicidade estarão esperando que você volte para aproveitá-las no futuro.

As grandes realizações e os resultados extraordinários exigem muita energia. O truque é aprender como obtê-la e mantê-la.

O que fazer? Pense em si mesmo como a incrível máquina biológica que você é e considere este plano diário de energia para a alta produtividade: comece cedo com meditação e oração para obter energia espiritual – iniciar o dia se conectando com seu propósito maior alinha seus pensamentos e suas ações com algo mais amplo. Depois, vá direto para a refeição mais importante do dia, a pedra fundamental da energia física: um café da manhã nutritivo destinado a ser o combustível para seu dia de trabalho. Você não vai conseguir ir longe abastecido com calorias vazias e não pode se movimentar com o tanque vazio. Descubra maneiras fáceis de se alimentar direito e depois planeje todas as refeições diárias para a semana.

Com o tanque cheio, vá para o seu local de exercícios físicos para aliviar o estresse e reforçar o corpo. O condicionamento lhe dá o máximo de capacidade, o que é fundamental para a produtividade máxima. Se você tiver um tempo limitado para se exercitar, o mais simples é usar um pedômetro. No fim do dia, se não tiver dado pelo menos 10 mil passos, faça com que sua Única Coisa em termos de exercícios seja alcançar o objetivo de 10 mil passos antes de ir dormir. Esse único hábito mudará sua vida.

Mas, se você não tiver passado um tempo com seus entes queridos no café da manhã ou durante a malhação, vá procurá-los. Abrace, converse e ria. Você vai lembrar por que está trabalhando e ficará motivado para ser o mais produtivo possível, de modo a voltar para casa mais cedo. As pessoas produtivas prosperam com a energia emocional; ela enche o coração de alegria e as deixa leves.

Em seguida, pegue sua agenda e planeje seu dia. Tenha em mente as tarefas mais importantes e garanta que sejam cumpridas. Veja o que precisa fazer, avalie o tempo necessário e planeje seu horário de acordo com isso. Saber o que você precisa fazer e arranjar tempo para isso é o modo de colocar a energia mental mais incrível em sua vida. Programar seu dia desse modo libera a mente da preocupação com o que talvez não seja feito e ao mesmo tempo o inspira com o que será feito. Só quando você arranja tempo para os resultados extraordinários é que eles têm chance de aparecer.

Quando começar a trabalhar, dedique-se à sua Única Coisa. Se você é como eu e tem algumas prioridades matinais que precisam ser feitas antes, dedique no máximo uma hora a elas. Não embrome e não diminua a velocidade. Libere o caminho e parta para o que é mais importante. Por volta do meio-dia, faça uma pausa, almoce e dê atenção a todas as outras coisas que puder antes de encerrar o expediente.

Por fim, à noite, tenha oito horas de sono. Os motores poderosos precisam esfriar e descansar antes de ser ligados de novo, e você não é diferente. Você precisa de sono para que a mente e o corpo descansem e se recarreguem para a produtividade extraordinária do dia seguinte. Se você conhece alguma pessoa que dorme pouco e parece se sair muito bem, ela é uma aberração da natureza ou está escondendo as consequências desse tipo de vida. Seja qual for a explicação, ela não é seu modelo de comportamento. Proteja seu sono determinando quando precisa ir para a cama a cada noite e não se permita ser atraído para longe disso. Se você está comprometido com a hora de acordar, só poderá dormir tarde certo número de noites antes de cair na cama em um horário decente. Se sua resposta é que você tem muita coisa para fazer, pare agora mesmo, volte para o início deste livro e recomece. Pelo jeito, você deixou escapar alguma coisa. Quando associar o sono adequado ao sucesso, você terá um bom motivo para se levantar e irá dormir na hora certa.

O PLANO DIÁRIO DE ENERGIA DA PESSOA ALTAMENTE PRODUTIVA
1. Medite e ore para obter energia espiritual
2. Alimente-se direito, faça exercícios e durma o suficiente para obter energia física
3. Para obter energia emocional, abrace e beije seus entes queridos, ria com eles
4. Para obter energia mental, defina metas e se planeje
5. Estabeleça blocos de tempo para sua Única Coisa, para obter energia profissional

O segredo da produtividade desse plano é o seguinte: quando você passa as primeiras horas da manhã se energizando, consegue atravessar o resto do dia com pouco esforço adicional. Você não se concentra em ter um dia perfeito o dia inteiro, e sim em ter um início energizado a cada dia. Se conseguir ser altamente produtivo até o meio-dia, o restante do dia transcorre com facilidade. Isso é energia positiva criando ímpeto positivo. Estruturar as primeiras horas de cada dia é o modo mais simples de alcançar resultados extraordinários.

4. FALTA DE APOIO

No início da minha carreira, uma jovem mãe de dois adolescentes sentou-se diante de mim e chorou. Sua família tinha lhe dito que apoiaria sua nova carreira desde que nada mudasse em casa. Refeições, caronas, nada que afetasse o mundo deles poderia ser atrapalhado. Ela havia concordado, porém mais tarde descobriu que tinha feito um péssimo negócio. De repente, percebi que ela estava sendo vítima de um ladrão de produtividade que quase todo mundo desconsidera.

Você precisa encontrar apoio no seu ambiente.

Quando digo "ambiente", me refiro às pessoais centrais na sua vida e ao seu cotidiano. As pessoas são familiares, os lugares são confortáveis. Você confia nesses elementos do ambiente e talvez até considere que são naturais. Mas fique atento, pois, a qualquer instante, qualquer pessoa e qualquer coisa podem se tornar um ladrão, afastando sua atenção do seu trabalho mais importante e roubando sua produtividade bem debaixo do seu nariz. Para alcançar resultados extraordinários, as pessoas ao redor e seu ambiente físico devem apoiar seus objetivos.

Ninguém vive nem trabalha em isolamento. Todos os dias, o dia inteiro, você entra em contato com outras pessoas e é influenciado por elas. Não há dúvida de que elas têm impacto sobre sua postura, sua saúde e, por consequência, em seu desempenho.

As pessoas que o cercam podem ser mais importantes do que você pensa. É fato que você provavelmente absorve algumas atitudes de outras pessoas quando trabalha, socializa ou simplesmente fica perto delas. Desde os colegas de trabalho até amigos e familiares, se eles não forem positivos ou realizados no trabalho ou fora dele, provavelmente passarão um pouco de negatividade. Atitude é uma coisa contagiosa; espalha-se rapidamente. Por mais forte que você se considere, ninguém tem força suficiente para resistir à influência da negatividade o tempo todo. Assim, o correto é se cercar das pessoas certas. Ainda que os ladrões de atitude roubem sua energia, seu esforço e sua resolução, as pessoas solidárias farão todo o possível para encorajá-lo ou ajudá-lo. Estar com pessoas que tenham mentalidade de sucesso cria o que os pesquisadores chamam de "espiral positiva do sucesso", levantando você e colocando-o no seu caminho.

As pessoas com quem você anda também têm implicações sérias sobre seus hábitos de saúde. Nicholas A. Christakis, professor de Harvard, e James H. Fowler, professor-adjunto da Universidade da Califórnia, escreveram um livro sobre como as interações sociais têm um impacto inconfundível sobre nosso bem-estar. O livro, *O poder das conexões: A importância do networking e como ele molda nossas vidas*, associa nossos relacionamentos com o uso de drogas, a falta de sono, o fumo, a bebida, a comida e até a felicidade. Por exemplo, o estudo que eles fizeram em 2007 sobre obesidade revelou que, se um dos seus melhores amigos passa a sofrer de obesidade, a probabilidade de acontecer o mesmo com você são 57% maiores. Por que isso acontece? As pessoas com quem nos relacionamos costumam determinar nosso padrão para o que é adequado.

Com o tempo, você começa a pensar e agir como as pessoas com quem anda e até mesmo a se parecer um pouco com elas. Mas não são apenas as atitudes e os hábitos de

FIG. 33 Crie um ambiente específico para a produtividade, que apoie sua Única Coisa.

saúde que nos influenciam. Seu sucesso relativo também faz isso. Se as pessoas com quem você passa tempo são grandes realizadoras, os feitos delas podem influenciar os seus. Um estudo publicado no periódico de psicologia *Social Development* mostra que, entre quase 500 colegiais participantes que tinham relacionamentos recíprocos com "melhores amigos", "as crianças que estabelecem e mantêm relacionamentos com estudantes de alto rendimento aumentam as notas nos boletins". Mais ainda, as que têm amigos com alto rendimento parecem "se beneficiar com relação às crenças motivacionais e ao desempenho acadêmico". Andar com pessoas que buscam o sucesso reforça sua motivação e estimula seu desempenho.

Sua mãe estava certa quando mandava ter cuidado com as companhias. As pessoas erradas no seu ambiente podem dissuadi-lo, impedi-lo ou distraí-lo do caminho de produtividade que você determinou. Mas o oposto também é verdade. <u>Ninguém tem sucesso sozinho e ninguém fracassa sozinho. Preste atenção às pessoas que estão ao seu redor.</u> Busque aquelas que apoiem seus objetivos e afaste-se de quem não o apoie. Elas vão influenciá-lo, provavelmente mais do que você imagina. Dê a elas o que merecem e fique atento se a influência que têm sobre você o está levando na direção em que você quer ir.

Se as pessoas são a primeira prioridade ao criar um ambiente de apoio, o lugar não fica atrás. Quando seu ambiente físico não combina com seus objetivos, isso pode impedi-lo de começar a ir na direção deles, para começo de conversa.

Sei que parece simplificado demais, mas, para ter sucesso na sua Única Coisa, você precisa fazê-la, e o seu ambiente físico tem um papel fundamental nisso. O ambiente errado pode fazer com que você jamais chegue lá. Se o seu ambiente é tão cheio de distrações que, antes que possa se conter, você acaba fazendo algo que não deveria, você não chegará aonde precisa. É como se você precisasse passar todo dia por um corredor de supermercado cheio de doces quando está tentando perder peso. Algumas pessoas talvez enfrentem isso com facilidade, mas a maioria de nós vai pegar umas guloseimas no caminho.

O que está ao redor vai ou direcionar você para o seu bloco de tempo ou afastá-lo dele. Isso acontece desde o momento em que você acorda até chegar ao seu bunker, onde estará durante seu bloco de tempo. O que você vê e ouve desde o momento em que o despertador toca até o início do seu bloco de tempo acaba determinando

"Cerque-se apenas de pessoas que ponham você para cima."

– *Oprah Winfrey*

se você vai chegar lá, quando vai chegar e, caso chegue, se será capaz de ser produtivo. Faça um ensaio. Siga o caminho que você fará todos os dias e erradique todos os ladrões na forma de visões e sons que encontrar. Para mim, em casa são coisas simples como e-mails, o jornal, os noticiários na TV, os vizinhos passeando com os cachorros. São todas coisas maravilhosas, mas que não são maravilhosas quando tenho um encontro comigo mesmo para realizar minha Única Coisa. Assim, vejo os e-mails rapidamente, jamais abro o jornal, mantenho a TV desligada e escolho com cuidado meu percurso de carro. No trabalho, evito o cantinho do café. Fica para mais tarde. O que aprendi é que é preciso limpar o caminho do sucesso se quisermos chegar lá.

Não deixe o seu ambiente afastá-lo dos trilhos. Seu ambiente físico importa e as pessoas ao redor também. Ter um ambiente que não apoia seus objetivos é comum demais, e infelizmente esse é um ladrão de produtividade comum demais. Como a atriz e comediante Lily Tomlin disse uma vez: "A estrada para o sucesso está sempre em construção." Assim, não se deixe ser desviado da sua Única Coisa. Pavimente o caminho com as pessoas e os lugares certos.

GRANDES IDEIAS

1. **Comece a dizer não.** Lembre-se sempre de que, quando você diz sim a alguma coisa, está dizendo não a todo o resto. Essa é a essência do compromisso. Comece a recusar peremptoriamente outros pedidos ou a dizer às distrações um "Por enquanto não", de modo que nada o impeça de chegar à sua prioridade máxima. Aprender a dizer não pode e vai libertá-lo. Graças a isso, você terá tempo para a sua Única Coisa.

2. **Aceite o caos.** Reconheça que buscar sua Única Coisa faz com que as outras fiquem na fila de espera. As pontas soltas podem parecer armadilhas, criando emaranhados no seu caminho. Esse tipo de caos é inevitável. Faça as pazes com ele. Aprenda a conviver com ele. O sucesso que você terá ao realizar sua Única Coisa vai servir de prova contínua de que você agiu certo.
3. **Administre sua energia.** Não sacrifique sua saúde tentando fazer coisas demais. O seu corpo é uma máquina incrível, mas não tem certificado de garantia, você não pode trocá-lo e os consertos podem ser caros. É importante administrar sua energia de modo a fazer o que é preciso, alcançar o que deseja e viver a vida que você quer.
4. **Seja dono do seu ambiente.** Certifique-se de que as pessoas ao redor e seu ambiente físico apoiem seus objetivos. As pessoas certas na sua vida e o ambiente físico certo em seu caminho cotidiano vão apoiar seus esforços para chegar à sua Única Coisa. Quando todos estão alinhados com sua Única Coisa, eles fornecem o otimismo e o estímulo físico de que você precisa para fazer sua Única Coisa acontecer.

O roteirista Leo Rosten resumiu tudo isso ao dizer: "Não acredito que o propósito da vida seja ser feliz. Acho que o propósito da vida é ser útil, responsável, compassivo. Acima de tudo, é importar, significar, defender alguma coisa, ter feito alguma diferença por ter vivido." Viver com Propósito, viver de acordo com a Prioridade e viver para a Produtividade. Siga essas três regras pelo mesmo motivo que o levou a assumir os três compromissos e evitar os quatro ladrões: porque você quer deixar sua marca. Quer fazer a diferença.

18 A JORNADA

"Para realizar mesmo a jornada mais difícil basta um passo de cada vez, mas precisamos continuar andando."

– Provérbio chinês

"Um passo de cada vez" pode parecer um clichê, mas não deixa de ser verdadeiro. Não importa o objetivo, não importa o destino, a jornada para qualquer coisa que você queira começa sempre com um único passo.

Esse passo se chama a Única Coisa.

Quero que você feche os olhos e imagine sua vida o mais grandiosa possível. Tão grandiosa quanto você jamais ousou sonhar e mais ainda. Imaginou?

Agora abra os olhos e preste atenção. Tudo que você está vendo, você tem condições de avançar na direção certa para chegar lá. E, quando o que você busca for o mais vasto que consegue visualizar, você estará vivendo a maior vida possível.

Viver com grandeza é simples assim.

Vou lhe contar como fazer isso. Anote seus rendimentos atuais. Depois, multiplique por um número qualquer: 2, 4, 10, 20... tanto faz. Escolha um número, multiplique seus rendimentos por ele e anote o número novo. Olhando para ele e ignorando se você está com medo ou empolgado, pergunte a si mesmo: "Minhas ações atuais vão me levar até esse número em cinco anos?" Se a resposta for positiva, continue dobrando o número até que elas não levem mais. Se então você fizer com que suas ações combinem com sua resposta, você estará vivendo grandiosamente.

Bom, eu só uso os rendimentos pessoais como exemplo. Esse pensamento pode se aplicar à sua vida espiritual, ao seu condicionamento físico, aos seus relacionamentos, às suas realizações na carreira, ao seu sucesso nos negócios ou a qualquer outra coisa que seja importante para você. Quando você levanta os limites do pensamento, expande os limites da sua vida. Só quando consegue imaginar uma vida maior você pode ter esperança de alcançá-la.

O desafio é que viver a maior vida possível exige que você não somente pense grande, mas que também realize as ações necessárias para chegar lá.

Resultados extraordinários exigem foco reduzido.

Reduzir o foco o máximo possível simplifica o pensamento e cristaliza o que você precisa fazer. Não importa quão grande você possa pensar: quando sabe aonde vai e recua até pensar na primeira coisa necessária para chegar lá, você sempre descobre que ela começa com algo pequeno. Há anos eu queria ter uma macieira no meu terreno. Por acaso não é possível comprar uma totalmente adulta. Minha única opção era comprar uma pequena e cultivá-la. Eu podia pensar grande, mas a única opção era começar pequeno. Fiz isso e cinco anos depois tínhamos maçãs. Mas, como eu pensei o mais grandioso que podia, adivinhe só. Isso mesmo: não plantei só uma, e hoje temos um pomar.

Sua vida é assim. Você não recebe uma totalmente amadurecida. Recebe uma vida pequena e a oportunidade de cultivá-la – se quiser. Se você pensar pequeno, sua vida provavelmente permanecerá pequena. Pense grande e sua vida terá chance de crescer. A escolha é sua. Quando você escolhe uma vida grande, por padrão terá de começar pequeno para chegar lá. Você deve examinar suas escolhas, estreitar as opções, enfileirar as prioridades e fazer o que é mais importante. Você precisa começar pequeno. Precisa encontrar sua Única Coisa.

Não existe nada garantido, mas sempre há alguma coisa, UMA Coisa, que importa mais do que todas as outras. Não estou dizendo que só haverá uma coisa, nem mesmo que é a mesma coisa para sempre. Estou dizendo que <u>em qualquer momento determinado só pode haver uma Única Coisa</u>, e, quando essa Única Coisa está alinhada com o seu propósito e se acomoda no topo das suas prioridades, ela será a coisa mais produtiva que você pode fazer para lançá-lo na direção do melhor que você pode ser.

Ações se desenvolvem a partir de ações. Hábitos se desenvolvem a partir de hábitos. Sucesso se desenvolve a partir de sucesso. A peça certa do dominó derruba outra e outra e mais outra. Assim, sempre que você desejar resultados extraordinários, procure a ação alavancada que dará início a uma derrubada de dominós. As grandes vidas surfam na onda poderosa das reações em cadeia e são construídas sequencialmente, o que significa que, quando você está mirando no sucesso, não pode simplesmente saltar para o final. O extraordinário não funciona assim. O conhecimento e o ímpeto que crescem à medida que você vive a Única Coisa a cada dia, a cada semana, a cada mês e a cada ano são o que lhe dá a capacidade de criar uma vida extraordinária.

> "Só quem se arrisca a ir longe demais pode descobrir até onde é possível ir."
>
> – T. S. Eliot

Mas isso não acontece do nada. Você precisa fazer acontecer.

Certa noite, um velho índio Cherokee contou ao neto sobre uma batalha que acontece dentro de todas as pessoas. Ele disse:

– Meu filho, a batalha acontece entre dois lobos dentro de nós. Um é o Medo. Ele carrega ansiedade, preocupação, incerteza, hesitação, indecisão e inação. O outro é a Fé. Ele traz calma, convicção, confiança, entusiasmo, decisão, empolgação e ação.

O menino pensou por um momento e perguntou humildemente:

– Que lobo ganha?

O avô respondeu:

– *Aquele que você alimentar.*

A jornada em direção aos resultados extraordinários será construída acima de tudo sobre a fé. Só quando tiver fé no seu propósito e em suas prioridades você buscará sua Única Coisa. E, assim que tiver certeza de que a conhece, você terá a força pessoal necessária para superar qualquer hesitação em realizá-la. Em última instância a fé leva à ação, e, quando agimos, evitamos a própria coisa que poderia solapar ou desfazer tudo por que trabalhamos: o arrependimento.

CONSELHO DE AMIGO

Por mais satisfatório que seja o sucesso, por mais agradável que pareça a jornada, existe um motivo ainda melhor para se levantar a cada dia e agir segundo sua Única Coisa. No caminho de uma vida que valha a pena, fazer o máximo para ter sucesso no que é mais importante para você não apenas o recompensa com o sucesso e a felicidade, mas também com algo ainda mais precioso:

Não ter arrependimentos.

Se você pudesse voltar no tempo e falar com seu eu de 18 anos ou saltar adiante e visitar seu eu de 80 anos, de quem você gostaria de receber conselhos? É uma proposta interessante. Para mim, seria meu eu mais velho. A visão a partir da popa do barco vem com a sabedoria acumulada com uma lente mais aberta e de foco mais longo.

E o que você gostaria que seu eu mais velho e mais sábio dissesse? "Vá viver sua vida. Viva-a plenamente, sem medo. Viva com propósito, dê tudo de si e jamais desista." Esforço é importante, já que sem ele você jamais terá sucesso em seu nível mais alto. Realização é importante, já que sem ela você jamais vai realizar seu verdadeiro potencial. Buscar o propósito é importante, já que, a não ser que você faça isso, talvez jamais encontre a felicidade duradoura. Parta acreditando que essas coisas são verdadeiras. Vá viver uma vida que valha a pena. E que no final você possa dizer "Que bom que eu fiz" e não "Eu gostaria de ter feito".

Por que eu penso assim? Porque há muitos anos comecei a tentar entender

> "Daqui a 20 anos, você lamentará mais o que não fez do que o que fez. Então solte as amarras. Navegue para longe do cais seguro. Pegue os ventos alísios nas velas. Explore. Sonhe. Descubra."
>
> – Mark Twain

como seria uma vida que valesse a pena. Decidi partir com o objetivo de descobrir o que poderia ser. Foi uma viagem que valeu a pena. Visitei pessoas mais velhas do que eu, mais bem-sucedidas do que eu. Pesquisei, li, busquei conselhos. Em cada fonte digna de crédito busquei pistas e sinais. Acabei encontrando, sem querer, um ponto de vista simples: Uma vida que vale a pena pode ser medida de muitos modos, mas o único que se destaca acima de todos os outros é viver sem arrependimentos.

A vida é curta demais para acumularmos uma pilha de *seria, poderia, deveria*.

Isso se tornou ainda mais claro quando me perguntei quais poderiam ser as pessoas com maior clareza com relação à vida. Decidi que eram as que estavam se aproximando do final. Se é boa ideia começar tendo o final em mente, então não existe local mais distante do que o próprio fim da vida para procurar pistas sobre como viver. Imaginei o que as pessoas a quem não restasse mais o que fazer a não ser olhar para trás me diriam sobre como avançar. Sua voz coletiva foi avassaladora, a resposta foi clara: viva para minimizar os arrependimentos que poderia ter no final.

Que arrependimentos seriam esses? Pouquíssimos livros me fazem chorar, um número ainda menor exige um lenço, mas *Antes de partir: Os 5 principais arrependimentos que as pessoas têm antes de morrer*, escrito por Bronnie Ware e publicado em 2012, conseguiu as duas coisas. Ware passou muitos anos cuidando de pessoas que enfrentavam a própria mortalidade. Ao perguntar aos agonizantes sobre algum arrependimento que tinham ou sobre alguma coisa que eles fariam de modo diferente, Bronnie descobriu temas comuns que surgiam de novo e de novo. Em ordem descendente, os cinco mais comuns eram:

Eu gostaria de ter me permitido ser mais feliz – as pessoas percebiam tarde demais que a felicidade era uma escolha.

Eu gostaria de ter mantido contato com meus amigos – deixavam de dedicar aos amigos o tempo e o esforço que mereciam.

Eu gostaria de ter tido coragem de expressar meus sentimentos – boca fechada e sentimentos trancados pesavam demais.

Eu gostaria de não ter trabalhado tanto – tempo demais gasto para ganhar a vida e não para criar uma vida geravam remorso demais.

Por mais difíceis que fossem esses arrependimentos, um deles se destacava. O arrependimento mais comum era: *Eu gostaria de ter tido coragem de levar uma vida fiel a mim mesmo, e não a vida que os outros esperavam de mim.* Sonhos realizados pela metade e esperanças não realizadas: esse era o arrependimento número um expressado pelos que estavam morrendo. Como disse Ware: "A maioria das pessoas não tinha realizado nem metade de seus sonhos e precisava morrer sabendo que isso se devia às escolhas que haviam feito ou não."

As observações de Bronnie Ware não são apenas dela. Na conclusão de sua pesquisa meticulosa, Gilovich e Medvec escreveram em 1946: "Quando as pessoas olham para trás, as coisas que geram maior arrependimento são as que elas *não* fizeram... As ações das pessoas podem ser inicialmente problemáticas; suas inações é que lhes provocam sentimentos de arrependimento mais duradouros."

Honrar nossas esperanças e buscar uma vida produtiva através da fé em nosso propósito e em nossas prioridades é a mensagem dada por nossos anciãos. Vinda do ponto de vista mais sábio que eles jamais terão chega sua mensagem mais clara:

Nada de arrependimentos.

Assim, lembre-se todos os dias de fazer o que é mais importante para você. Quando você sabe o que é mais importante, tudo faz sentido. Quando você não sabe o que é mais importante, qualquer coisa faz sentido. As melhores vidas não são vividas desse modo.

O SUCESSO É UM TRABALHO INTERIOR

Então, como viver uma vida sem arrependimentos? Do mesmo modo como se inicia a jornada para os resultados extraordinários. Com propósito, prioridade e produtividade; sabendo que o arrependimento deve e pode ser evitado; com sua Única Coisa no topo da mente e no topo da programação; com um único primeiro passo que todos podemos dar.

Acredito que o melhor modo de compartilhar isso é com uma história:

> Certa noite, um menino pulou no colo do pai e disse baixinho:
> – Pai, a gente não passa muito tempo junto.
> O pai, que amava intensamente o filho, soube no fundo do coração que isso era verdade e respondeu:
> – Você está certo, e sinto muito. Mas prometo que vou compensar. Como amanhã é sábado, por que não passamos o dia inteiro juntos? Só você e eu!
> Era um plano, e naquela noite o menino foi para a cama com um sorriso no rosto, visualizando o dia seguinte, empolgado com as possibilidades de aventuras com o pai.
> No dia seguinte, o pai acordou mais cedo do que o usual. Queria garantir que ainda conseguiria aprovei-

tar o ritual da xícara de café com o jornal da manhã antes que o filho acordasse, animado e pronto para sair. Perdido em pensamentos enquanto lia a seção de negócios, foi apanhado de surpresa quando de repente o filho puxou o jornal para baixo e gritou cheio de entusiasmo:

– Pai, acordei. Vamos brincar!

Apesar de empolgado por ver o filho e ansioso por começarem o dia juntos, o pai se pegou sentindo culpa por desejar só mais um pouquinho de tempo para terminar a rotina matinal. Revirando rapidamente o cérebro, encontrou uma ideia promissora. Pegou o filho, deu-lhe um abraço enorme e anunciou que a primeira brincadeira seria montar um quebra-cabeça e que, quando ele terminasse, iriam brincar lá fora pelo resto do dia.

No começo da leitura do jornal ele tinha visto um anúncio de página inteira com uma imagem do mundo. Encontrou-a rapidamente, rasgou-a em pedacinhos e os espalhou na mesa. Encontrou uma fita adesiva para o filho e disse:

– Quero ver com que rapidez você monta esse quebra-cabeça.

O menino partiu entusiasmado para a tarefa enquanto o pai, confiando que havia ganhado um tempo extra, se enterrou de novo no jornal.

Em questão de minutos o menino puxou de novo o jornal do pai e anunciou com orgulho:

– Acabei, pai!

O pai ficou perplexo. Porque o que estava à sua frente – inteira, intacta e completa – era a imagem do mundo, unida de volta como no anúncio, sem nenhum pedaço fora do lugar. Com um misto de orgulho e espanto, o pai perguntou:

– Como você conseguiu fazer isso tão depressa?

O menino riu.

– Foi fácil, pai! No início eu achei que não ia conseguir e pensei em desistir, de tão difícil que era. Mas aí deixei um pedaço cair no chão e, como é uma mesa com tampo de vidro, quando olhei para cima vi que do outro lado tinha a foto de um homem. Isso me deu uma ideia. Quando montei o homem, o mundo se encaixou.

Ouvi essa narrativa pela primeira vez quando era adolescente e nunca a esqueci. Eu sempre recontava mentalmente essa história, que acabou virando um tema central na minha vida. O que me impressionou não foi o problema aparente que o pai tinha para equilibrar a vida, apesar de eu ter entendido isso. O que me pegou e ficou comigo foi a solução inspirada do filho. Ele decifrou o código mais profundo: uma abordagem mais simples e mais direta da vida. Um ponto de partida para qualquer desafio que enfrentemos pessoal ou profissionalmente. A Única Coisa que todos precisamos entender se quisermos alcançar resultados extraordinários no nosso maior nível possível. Indubitavelmente. Inquestionavelmente.

O sucesso é um trabalho interior.

Monte a si mesmo e o mundo vai se encaixar. Quando você leva propósito à sua vida, sabe quais são suas prioridades e alcança grande produtividade na prioridade mais importante de cada dia, sua vida faz sentido e o extraordinário se torna possível.

Todo sucesso começa dentro de você. Você sabe o que fazer. Sabe como fazer. Seu próximo passo é simples.

Você é a primeira peça do dominó.

COLOCANDO EM PRÁTICA

> "Não existe fartura no adiamento."
> – William Shakespeare

E agora?

Você leu o livro. Entendeu. Está pronto para alcançar resultados extraordinários. O que você faz, então? Como se conecta à Única Coisa do modo mais poderoso possível? Vamos recapitular as ideias centrais do livro e considerar maneiras de pôr a Única Coisa em prática agora mesmo.

Em nome da brevidade, vou encurtar a Pergunta de Foco, portanto não se esqueça de acrescentar, no fim de cada pergunta, o trecho "... de modo que, ao fazê-la, todo o resto se torne mais fácil ou desnecessário?".

SUA VIDA PESSOAL

Deixe a Única Coisa trazer clareza para as áreas fundamentais da sua vida. Aqui vai uma breve amostra.

- Qual é a Única Coisa que posso fazer esta semana para descobrir ou afirmar o propósito da minha vida?
- Qual é a Única Coisa que posso fazer em três meses para alcançar a forma física que desejo?
- Qual é a Única Coisa que posso fazer hoje para reforçar minha fé espiritual?
- Qual é a Única Coisa que posso fazer para arranjar tempo para praticar violão 20 minutos por dia?/ ... fazer 50 flexões em 90 dias?/ ... aprender a pintar em seis meses?

SUA FAMÍLIA

Use a Única Coisa com sua família para ter experiências divertidas e recompensadoras. Algumas opções:

- Qual é a Única Coisa que podemos fazer esta semana para melhorar o nosso casamento?
- Qual é a Única Coisa que podemos fazer toda semana para passar mais tempo de qualidade em família?
- Qual é a Única Coisa que podemos fazer esta noite para ajudar nas tarefas escolares do nosso filho?
- Qual é a Única Coisa que podemos fazer para que nossas férias sejam as melhores de todos os tempos?/ ... para que nosso Natal seja o melhor de todos os tempos?

Saiba que estou dando apenas exemplos. Caso se apliquem a você, ótimo. Se não, use-os para instigá-lo a encontrar as áreas importantes que você pode explorar.

E não se esqueça de estabelecer blocos de tempo. Estabeleça blocos de tempo consigo mesmo de modo a garantir que as coisas importantes sejam feitas e que as atividades importantes sejam dominadas. Em alguns casos você vai querer estabelecer um bloco de tempo para encontrar a resposta, e em outros só precisará de blocos de tempo para implementá-la.

Agora vamos ver como você pode levar consigo o poder da Única Coisa.

SEU TRABALHO

Ponha a Única Coisa para funcionar levando sua vida profissional ao próximo nível. Aqui vão alguns modos de começar:

- Qual é a Única Coisa que posso fazer hoje para completar meu projeto atual antes do prazo?
- Qual é a Única Coisa que posso fazer este mês para produzir um trabalho melhor?
- Qual é a Única Coisa que posso fazer antes da minha próxima avaliação para conseguir o salário que desejo?
- Qual é a Única Coisa que posso fazer todo dia para terminar meu trabalho e ainda chegar em casa na hora certa?

SUA EQUIPE DE TRABALHO

Coloque a Única Coisa no seu trabalho com os outros. Quer você seja administrador, executivo ou mesmo dono de empresa, coloque sua Única Coisa nas situações de trabalho cotidianas para incrementar a produtividade. Algumas hipóteses a considerar:

- Em qualquer reunião, pergunte: Qual é a Única Coisa que podemos realizar nesta reunião e ainda terminar cedo?
- Ao montar sua equipe, pergunte: Qual é a Única Coisa que posso fazer nos próximos seis meses para encontrar e desenvolver talentos incríveis?
- Ao fazer o planejamento para o próximo mês, ano ou os próximos cinco anos, pergunte: Qual é a Única Coisa que podemos fazer neste momento para realizar nossos objetivos antes do prazo e dentro do orçamento?
- Em seu setor ou no nível mais alto da empresa, pergunte: Qual é a Única Coisa que podemos fazer nos próximos 90 dias para criar uma cultura da Única Coisa?

Lembrando que são apenas exemplos para levá-lo a pensar nas possibilidades. E, assim como acontece na sua vida pessoal, quando você tiver decidido o que é mais importante, os blocos de tempo vão garantir que você cumpra suas metas na área profissional. No trabalho, isso geralmente tem a ver com um projeto de curto prazo que você precisa realizar ou uma atividade contínua, de longo prazo, que você precisa fazer repetidamente. Não importa, um compromisso consigo mesmo é o caminho mais seguro para garantir resultados extraordinários.

Discussões abertas e informais ou curtos workshops internos ao redor de conceitos-chave do livro podem realmente ajudar todos do trabalho a encontrar seu próprio entendimento e a acertar o passo.

Se a implementação da Única Coisa numa determinada área exigir que você envolva outras pessoas, pense em arranjar para elas um exemplar do livro. Compartilhar suas descobertas é um ótimo ponto de partida e você pode ter surpresas agradáveis com as ideias que receber de volta quando os outros tiverem a chance de ler o livro sozinhos.

É preciso mais do que ler o livro e algumas conversas para tornar a Única Coisa um novo hábito na sua vida ou na vida das pessoas ao redor. Pela leitura deste livro você sabe que, em média, são necessários 66 dias para criar um hábito novo, portanto aborde a proposta tendo isso em mente. Para acender sua vida você precisa focalizar uma Única Coisa por tempo suficiente até que ela pegue fogo.

Outras áreas em que a Única Coisa pode fazer diferença:

SUA ORGANIZAÇÃO SEM FINS LUCRATIVOS
Qual é a Única Coisa que podemos fazer para financiar nossas necessidades anuais?/ ... atender ao dobro de pessoas?/ ... duplicar o número de voluntários?

SUA ESCOLA
Qual é a Única Coisa que podemos fazer para reduzir a zero nossa taxa de evasão?/ ... aumentar as notas das provas em 20%?/ ... aumentar a taxa de conclusão de cursos em 100%?/ ... dobrar a participação dos pais?

SEU LOCAL DE CULTO
Qual é a Única Coisa que podemos fazer para melhorar nossa experiência de culto?/ ... duplicar o alcance da nossa missão?/ ... maximizar o índice de comparecimento dos membros?/ ... alcançar nossas metas financeiras?

SUA COMUNIDADE
Qual é a Única Coisa que podemos fazer para melhorar nosso senso de comunidade?/ ... ajudar as pessoas

que não podem sair de casa?/ ... dobrar o serviço voluntário?

Depois que minha esposa, Mary, leu este livro, eu por acaso pedi um favor qualquer a ela. Sabe o que ela me disse?
– Gary, no momento essa não é a minha Única Coisa!
Nós rimos e eu mesmo fui fazer o que tinha pedido!
A Única Coisa força você a pensar grande, trabalhar na criação de uma lista, priorizar essa lista de modo que a progressão geométrica possa acontecer e depois começar pela primeira coisa: a Única Coisa que inicia sua derrubada de dominós.

Assim, esteja preparado para viver uma vida nova! E lembre-se de que o segredo para alcançar resultados extraordinários é fazer uma pergunta muito grande e específica que o leve a uma resposta pequena e muito bem focada.

Se você tentar fazer tudo, pode acabar sem nada. Se tentar fazer uma Única Coisa, a Única Coisa certa, pode acabar tendo tudo que sempre quis.

A Única Coisa é real. Se você colocá-la em ação, ela vai funcionar.

Portanto não adie. Faça a pergunta: "Qual é a Única Coisa que posso fazer neste momento para começar a usar a Única Coisa na minha vida de modo que, ao fazê-la, todo o resto se torne mais fácil ou desnecessário?"

E faça com que responder a isso seja sua primeira Única Coisa!

Em frente...

SOBRE A PESQUISA

Apesar de já fazer algum tempo que eu vivia segundo as lições deste livro, começamos a pesquisar a Única Coisa a sério em 2008. Desde então arquivamos bem mais de mil artigos, estudos científicos e textos acadêmicos, centenas de matérias de jornais e revistas e uma grande biblioteca de livros escritos pelos maiores especialistas em suas áreas de atuação. Pastas e mais pastas de descobertas, fatos e relatos cobriam cada centímetro de nosso espaço de escrita.

Se você quiser mergulhar mais fundo no que aprendeu com este livro, pode encontrar uma extensa lista do material de referência que usamos, organizado por assuntos e capítulos, na página deste livro no site www.sextante.com.br.

O site **The1Thing.com** (em inglês) é um portal para nossas mentes, onde mencionamos os escritores que nos inspiraram, fornecemos links para artigos disponíveis na internet e citamos os documentos oficiais que ajudaram a formar nosso pensamento. Também colocamos alguns factoides interessantes e até mesmo um vídeo divertido aqui e ali. Aproveite.

AGRADECIMENTOS

Quando estávamos estruturando este livro, concordamos em fazer o máximo para organizá-lo usando os princípios da Única Coisa. Por isso, criamos um projeto gráfico que otimizasse sua experiência de leitura.

Começamos a delinear este livro em meados de 2008 e entregamos o primeiro manuscrito completo ao editor em 1º de junho de 2012 – uma jornada de quatro anos que certamente não poderíamos ter percorrido sem ajuda. Muita ajuda.

Primeiro vem a família. Sem o amor e o apoio da minha esposa Mary, e do meu filho, John, este livro não seria o que é. Meu parceiro de escrita, Jay, agradece igualmente o amor e o encorajamento dados por Wendy e seus filhos, Gus e Veronica. Os cônjuges, especialmente os sábios e letrados como as nossas esposas, têm o trabalho geralmente sem agradecimento de ler todos os primeiros esboços cheios de defeitos e erros que um dia acabam virando um livro pronto.

Também contamos com uma grande equipe de apoio. Vickie Lukachick e Kylah Magee nos carregaram de tanto material de pesquisa que demoramos quase um ano para digerir tudo. Valerie Vogler-Stipe e Sarah Zimmerman fizeram sua Única Coisa e mantiveram nossas agendas vazias para podermos nos concentrar no livro. O resto da nossa equipe, Allison Odom, Barbara Sagnes, Mindy Hager, Liz Krakow, Lisa Weathers, Denice Neason e Mitch Johnson, também permaneceu em sua Única Coisa para podermos fazer a nossa.

Meus sócios e líderes sêniores na Keller Williams Realty deram ideias e apoio durante o caminho: Mo Anderson, Mark Willis, Mary Tennant, Chris Heller, John Davis, Tony Dicello, Dianna e Shon Kokoszka e Jim Talbot. Obrigado, pessoal! Vocês são o máximo! Nossa equipe de marketing, comandada por Ellen Marks, trabalhou tremendamente no projeto gráfico do livro e na divulgação: Annie Switt, Hiliary Kolb, Stephanie Van Hoek, Laura Price, os super-talentosos designers Michael Balistreri e Caitlin McIntosh, além de Tamara Hurwitz, Jeff Ryder e Owen Gibbs, da nossa equipe de produção, e a equipe de internet de Hunter Frazier e Veronica Diaz. Cary Sylvester, Mike Malinowski e Ben Mayfield coordenaram nosso trabalho de TI dentro e fora do prédio com parceiros como a Feed Magnet e a NVNTD. Anthony Azar, Tom Friedrich e Danny Thompson trabalharam com nossos parceiros vendedores e com nossos parceiros em campo para garantir que colocaríamos o livro no máximo de mãos possível. Agradecimentos especiais a Kaitlin Merchant, da KW Research, e Mona Covey, Julie Fantechi e Dawn Sroka, da KWU, pelo trabalho pré e pós-publicação.

Também tivemos o benefício de trabalhar com um editor que realmente entende a Única Coisa e vive de acordo com ela, Ray Bard, da Bard Press. Ele montou uma equipe excelente que nos aconselhou, apoiou e encorajou enquanto estávamos escrevendo e, mais tarde, durante a revisão, nos levou ao limite para tornar este livro o melhor que ele poderia ser. Nossa grande equipe editorial inclui a editora chefe Sherry Sprague, o editor Jeff Morris, a editora de copidesque e produção Deborah Costenbader, Randy Miyake e Gary Hespenheide, da Hespenheide Design, o revisor Luke Torn e a encarregada do índice remissivo, Linda Webster.

A divulgadora Barbara Henricks, da Cave Henricks Communications, e o profissional de mídias sociais Rusty Shelton, da Shelton Interactive, forneceram feedback inicial e comandaram a campanha de mídia. Também tivemos um grupo de leitores veteranos que, junto com alguns membros seletos da nossa equipe, forneceram feedback sobre o primeiro rascunho: Jennifer Driscoll-Hollis, Spencer Gale, David Hathaway, Robert M. Hooper, Scott Provence, Cynthia Robbins, Robert Todd e Todd Sattersten.

Obrigado aos pesquisadores, professores e escritores supercompreensivos que responderam às nossas perguntas sobre uma variedade de assuntos: Dr. Roy Baumeister, ganhador do troféu Francis Eppes Eminent Scholar e diretor de Departamento de Psicologia Social da Universidade do Estado da Flórida; Dr. Myron P. Gutmann, da Diretoria de Ciências Sociais, Comportamentais e Econômicas da Fundação Nacional de Ciência; Dr. Eric Klinger, professor emérito de Psicologia na Universidade de Minnesota em Morris; Dr. Jonathan Levav, professor adjunto de Marketing na Universidade de Stanford; Paul McFedries, criador do incomparável site wordspy.com; Dr. David E. Meyer, professor de Psicologia no Programa de Cognição e Percepção da Universidade de Michigan e diretor do Laboratório de Cérebro, Conexão, Cognição e Ação em Michigan; Dra. Phyllis Moen, ocupante da Cátedra Presidencial McKnight em Sociologia na Universidade de Minnesota; Erica Mosner, da Biblioteca de Estudos Históricos e Ciências Sociais do Instituto de Estudos Avançados; a supersolícita Rachel, do site de Bronnie Ware; Valoise Armstrong, da Biblioteca Dwight D. Eisenhower; Dr. Ed Deiner, escritor e professor emérito do Departamento de Psicologia da Universidade de Illinois; e James Cathcart, consultor sênior sobre Liderança na Franklin Covey. Também agradecemos ao Keller Center da Escola de Administração Hankamer da Universidade Baylor e a Casey Blaine por sua pesquisa sobre multitarefa no início da nossa jornada. E, finalmente, eu seria descuidado se não agradecesse ao meu coach de negócios Bayne Henyon, por suas ideias há tantos anos, que mudaram o modo como eu olhava as coisas e remodelaram a forma como eu trabalhava.

Obrigado a todos, por tudo!

QUAL É A ÚNICA COISA QUE POSSO FAZER AGORA?

Agora que você entende o conceito, é hora de colocar a Única Coisa em ação na sua vida. Comece a pensar grande reduzindo o foco até se concentrar em sua Única Coisa hoje! Visite **The1Thing.com** e encontre informações sobre nossos seminários e programas de treinamento, além de ferramentas exclusivas para a Única Coisa. Veja atualizações em tempo real enviadas por outras pessoas que estão se juntando ao movimento mundial e compartilhe sua Única Coisa. Experimente sua Única Coisa hoje.

Para saber mais sobre os títulos e autores da Editora Sextante, visite o nosso site e siga as nossas redes sociais. Além de informações sobre os próximos lançamentos, você terá acesso a conteúdos exclusivos e poderá participar de promoções e sorteios.

sextante.com.br